Verboden te zoenen

LEES OOK IN DE LIFE REEKS:

Afscheidsbrief

De koffer

De stalker

De nalatenschap

Een laatste brief

Vlinder

Heej sgatje

4-Love

Babylove

Zeg dan nee

www.uitgeverijholland.nl
www.gonnekehuizing.nl

Gonneke Huizing

Uitgeverij Holland - Haarlem

Dit boek kan gekozen worden door de Jonge Jury 2010.
Kijk op www.jongejury.nl

Omslagontwerp: Ivar Hamelink

ISBN 978 90 251 1056 7
NUR 284

1

Met een zucht bekeek Berber haar lesrooster voor het komend schooljaar. Pfff, elke dag een tussenuur en pas om half vier vrij.
'Het is dit jaar niet gelukt om voor de havo 4-leerlingen een tussenuurvrij lesrooster te maken,' hoorde ze haar mentor zeggen. 'De roostermaker doet zijn best om jullie rooster in de komende weken nog wat aan te passen.'
'Die Nijntje,' zei Elise achter haar hand tegen Berber.
Berber lachte.
Nijntje was meneer Van de Knijnenbelt, hun leraar wiskunde die elk jaar de roosters maakte. Hij liet geen gelegenheid voorbijgaan om te zeggen hoeveel werk dat was en dat hij daar altijd twee hele weken vakantie voor opofferde.
'Leuk dat we Engelaan als mentor hebben,' zei Berber.
Elise knikte. 'En leuk dat we allebei het profiel natuur en gezondheid hebben gekozen. We hebben gelukkig bijna alle vakken samen.'
Berber kneep Elise even in haar arm. Ze waren al vanaf groep één hartsvriendinnen en ze hadden al die jaren bij elkaar in de klas gezeten.
'Ik deel zo nog een brief voor jullie ouders uit voor de eerste algemene ouderavond voor havo 4. Ik loop nu even naar de conciërge om te kijken of de kopieën al klaar zijn.'
Mevrouw Engelaan liep de klas uit.
'Weten jullie al dat er een nieuwe voor Nederlands is?'
Berber voelde een duwtje tegen haar schouder en ze draaide zich om naar Esmée.

'Ben benieuwd.' Esmée lachte.
'Hoezo?' vroeg Berber.
'Nou ja, hoe die is en zo. Hij is nog heel jong.'
'Hoe weet jij dat nou?' wilde Elise weten.
'Hij is de mentor van mijn zusje Chantal, in de brugklas, en die wees hem vanochtend aan.'
'Krijgen wij ook les van hem?' wilde Berber weten.
'Yes!' Esmée boog zich over haar lesrooster. 'En wel vier keer per week!'
'Vier keer Nederlands per week?' kreunde Elise. 'Jek.'
'Het belangrijkste vak van de school, meisje! Als je je Nederlands niet goed beheerst, kom je helemaal nergens,' citeerde Berber hun leraar Nederlands van vorig jaar.
'Ja doei!' Esmée stak haar beide armen een moment omhoog. 'Ik kan al heel behoorlijk lezen en schrijven, daar heb ik al die domme lessen heus niet voor nodig.'
'Lezen vind ik wel leuk, maar die ellendige spelling en grammatica. Bèèèh!' Berber stak haar tong uit. 'Misschien is die nieuwe wel hartstikke streng.'
'Vast niet.' Esmée lachte. 'Hij is te jong om streng te zijn.'
'En Sommers dan? zei Elise. 'Die is én jong én streng.'
'Ja Sommers!' haalde Esmée minachtend uit. 'Dat is een echte droogkloot.'
'Nou, nou,' klonk de stem van mevrouw Engelaan. Ze kwam binnen met een stapeltje enveloppen. 'Beetje dimmen graag.'
'Vindt u meneer Sommers dan wel aardig?' vroeg Esmée uitdagend.
'Meneer Sommers is een prima docent.' Mevrouw Engelaan begon de enveloppen uit te delen.

'Geven jullie deze brief aan jullie ouders?'
'Weet u hoe die nieuwe voor Nederlands heet?' vroeg Berber, toen hun mentor bij hun tafeltje kwam.
'Meneer Jongbloed.' Mevrouw Engelaan legde een envelop op hun tafel.
'Hoe jóng is hij dan?' wilde Esmée weten.
'Erg jong,' zei mevrouw Engelaan droog.
'Jong bloed in het lerarenteam!' grapte Elise.
'Mmmmm,' deed Esmée.
'Is hij aardig?' vroeg Anika.
'Natuurlijk.' Mevrouw Engelaan ging verder met het uitdelen van de brieven. 'Docenten zijn toch altijd aardig?'
'Dacht het dus niet,' riep Esmée en verschillende klasgenoten vielen haar bij.
'Hebben Roman en jij eigenlijk een leuke vakantie gehad, zo met z'n tweeën?' wilde Berber weten.
'Ja, vet. We zaten op een camping met alleen maar jongeren,' vertelde Esmée. 'Het was elke dag keten.'
'Een camping met alleen maar jongeren?' herhaalde Berber een beetje verbaasd. 'Waar waren de ouderen dan?'
'Gillend weggelopen misschien?' veronderstelde Elise laconiek.
'Jongens en meisjes, mag ik nog even de aandacht?' Mevrouw Engelaan stond weer voor in de klas en tikte met haar pen op haar bureau. Het werd stil.
'Morgen is jullie eerste lesdag. Zorg ervoor dat je je spullen in orde hebt én dat je op tijd bent. We hebben namelijk een nieuwe maatregel voor te laat komen ingevoerd.'
Berber stak haar tong uit naar Elise. 'Getsie.'
'Een keer te laat wordt door de vingers gezien.' Mevrouw

Engelaan liet even een stilte vallen. 'Maar, en nu komt het, twee keer te laat betekent twee keer om acht uur op school. Nog een keer te laat, dan drie keer om acht uur. Dat betekent dat je dan dus al vijf keer om acht uur bent geweest. Nog een keer te laat betekent dan meteen vier keer om acht uur. Enzovoorts.'
'Wat streng,' riep Robin. 'Als je dan maar tien keer te laat komt, dan eh, dan moet je eh vierenvijftig keer om acht uur komen. Dat is toch belachelijk?'
Verschillende leerlingen vielen hem bij.
'Ja jongen, ik vrees dat jij komend schooljaar je regelmatig om acht uur moet melden,' spotte mevrouw Engelaan, 'als je tien keer te laat komen "maar" noemt.'
'Waarom zo streng?' hield Robin vol.
'We willen de regels wat aanscherpen,' zei hun mentor, 'want het liep vorig schooljaar de spuigaten uit.'
'Wát aanscherpen?' mopperde Robin. 'Dit noem ik dus echt *geen* wat. Het lijkt wel een strafkamp.'
'School is toch ook een strafkamp!' riep Paul. 'Of ga jij hier voor je lol naartoe?'
Mevrouw Engelaan trok haar wenkbrauwen op. 'Je mag blij zijn dat je kúnt leren. Weet je wel hoeveel kinderen wereldwijd niet naar school kunnen omdat er geen geld voor is?'
Berber zuchtte. Opstaan was niet haar sterkste kant. Ze kon 's ochtends maar met moeite haar bed uit komen en soms kwam ze dan net te laat de school binnengerend. Maar de conciërge was aardig. Hij matste haar bijna altijd. Te aardig, want veel leerlingen namen een loopje met hem.

'Meneer Van de Knijnenbelt gaat dit jaar behalve het maken van het rooster en het geven van wiskundelessen, de leerlingen die te laat komen registreren en hij neemt daarnaast de absentencontrole voor zijn rekening,' hoorde ze de mentor zeggen.

Berber hoorde Esmée achter zich kreunen. Als Nijntje deze taak op zich nam, dan werd het hier een strenge bedoening. Met Nijntje viel niet te spotten en hij was akelig precies.

Nooit meer spijbelen bij gym. Nooit meer de laatste lesuren gebruiken om even lekker te shoppen. Nooit meer tijdens mens en maatschappij in de leerlingensoos koffie drinken met een speculaaspop erbij. Voorbij de tijd van de vrijheid.

'Jek,' zei ze hartgrondig.

'Berber!' De stem van de mentor klonk streng, maar ze lachte. 'Ja, jongens en meiden, het is vanaf morgen afgelopen met het lekkere vrije leventje. Geniet vanmiddag nog maar een keertje goed van je vrijheid.' Ze pakte haar papieren bij elkaar en verliet na een korte groet het lokaal.

Een beetje namopperend pakten de leerlingen hun spullen en verlieten ook het lokaal.

2

Met z'n drieën liepen ze over de schoolcampus van het grote warenhuis om de laatste schoolbenodigdheden aan te schaffen. Het was er druk.

'Vroeger kocht ik mijn spullen al voor de zomervakantie,' zei Berber.

'Mijn zusje nu ook,' zei Esmée. 'Toen de schoolcampus eenmaal was ingericht, was ze niet meer te houden.'

Berber en Elise lachten.

'Nou,' zei Esmée, 'zo lollig is het ook weer niet. Ze had bijna een hele ochtend nodig om te kiezen.'

'Jij kon haar toch wel helpen?' Berber trok haar arm los en pakte een paar rollen kaftpapier uit het rek.

'Deed ik ook, maar daar werd ze nog onzekerder van, leek het wel. Ze wilde eerst Diddlspullen nemen of Pucca. Kan het nog kinderachtiger?'

'Die bruggers zijn vet schattig.' Berber legde het kaftpapier in haar mandje. 'Zullen we straks samen gaan kaften? Dat is gezelliger dan in je uppie.'

'Ik heb mijn boeken al gekaft,' zei Elise.

'Stuudje!' schold Esmée.

'Nou, maar ik ben nu lekker de rest van de middag vrij, terwijl jullie moeten zwoegen boven je boeken.'

'Ik kan helemaal niet goed kaften,' jammerde Esmée. 'Elies?' smekend keek ze haar vriendin aan. 'Kom jij me helpen?'

'Goed plan,' vond Berber. 'Gaan we eerst naar jou en daarna naar mij.'

'Lekker zijn jullie, zeg.'

Elise keek verontwaardigd, maar ze lachte.
'Trakteren wij jou op een lekker patatje, hè Esmée?' Berber gaf Esmée een duwtje tegen haar arm. 'Voor wat, hoort wat!'
'Nou, ik lust wel een vet patatje,' lachte Elise. 'Kom op, afrekenen en naar de snackbar, meiden.'

'Ga jij je echt opgeven als leerlingmentor?' vroeg Elise, toen ze achter hun patat zaten. Berber knikte.
'Wat je eraan vindt,' spotte Esmée. 'Al die kleuters.'
Berber haalde haar schouders op. 'Ik vind het gewoon leuk.'
'Nou, veel plezier in de kleuterklas.'
'Flauwerd!' zei Elise. 'Als ze dat nou leuk vindt.'
'Geven jullie je ook op,' stelde Berber voor. 'Gezellig.'
'Mij niet gezien. Ik heb genoeg aan een zo'n bruggup thuis,' weerde Esmée af. 'Chantal is onuitstaanbaar.'
'Jij dan Elies?' vragend keek Berber haar vriendin aan.
'Ik kan niet zo goed met die bruggers,' weerde Elise af.
'Dat kun je toch leren?' meende Berber.
'En bovendien heb ik het te druk met mijn schoolwerk. Ik heb van mijn zus gehoord dat je in de tweede fase kei- en keihard moet werken.'
'Braaf, braaf, brááf kind.' Esmée klopte haar op haar hand.
'Zeg,' Elise gaf haar een duwtje tegen haar arm. 'Ik dacht dat je vanmiddag mijn hulp nog nodig had.'
'O ja, da's waar, zo dan: Goed hoor, dat jij je schoolwerk zo serieus neemt,' zei Esmée op ernstige toon. 'Berber, daar kunnen wij een voorbeeld aan nemen, toch?'
Ze schoten in de lach.

‘Laten we nu maar gaan kaften,’ stelde Elise voor.
‘Heb jij je werkboeken ook gekaft?’ wilde Esmée weten.
Elise knikte.
‘Dat doe ik niet, hoor.’ Esmée stak haar tong uit. ‘Die werkboeken zijn toch van jezelf.’
‘Ze blijven wel netter,’ merkte Berber op.
‘Nou en? Ik gooi ze na een jaar toch weg.’ Esmée stond op.
‘Eerst naar mijn huis dan maar?’
De andere twee knikten.

3

Rumoerig kwamen de leerlingen het lokaal Nederlands binnen en keken nieuwsgierig naar de nieuwe leraar die in de deuropening stond. Zoals hij daar stond in zijn gebleekte spijkerbroek en witte T-shirt leek hij nog erg jong.
'Dag Djanno,' zei Esmée uitdagend.
De leraar kleurde licht. 'Eh, kennen wij elkaar?' vroeg hij toen een beetje onzeker.
'Nee dat niet, nog niet tenminste. Maar dat zal wel snel veranderen, toch?' Esmée keek hem koket aan.
Een paar meiden lachten.
'Of mogen we geen Djanno zeggen?' vroeg Esmée. 'Mijn zusje zei dat je had gezegd dat je het leuk vond als de leerlingen Djanno tegen je zouden zeggen.'
De leraar glimlachte een beetje onbeholpen. 'Ja, dat is ook zo, maar ik dacht echt even dat wij elkaar al eens eerder hadden ontmoet.'
'Nee hoor.' Esmée lachte liefjes naar hem.
'Wie is je zusje eigenlijk?'
'Chantal. Je bent haar mentor.'
'Ah, Chantal. Ja, nu zie ik het. Jullie lijken op elkaar. En jouw naam is?'
'Esmée.' Ze stak haar hand uit.
Djanno schudde de uitgestoken hand.
Er werd weer gegiecheld.
'Goed dan Esmée, ga maar op je plaats zitten, dan kunnen we zo beginnen.' Djanno wachtte tot iedereen zat.
'Hoe vinden jullie hem?' vroeg Esmée aan Berber en Elise.
'Gewoon,' zei Berber. 'Benieuwd of hij orde kan houden.'

'Nouhou,' twijfelde Elise, 'hij komt wel wat onzeker over.'
De leraar was inmiddels op de punt van zijn tafel gaan zitten. 'Jongens en meisjes, mijn naam is Djanno Jongbloed en ik geef jullie Nederlands.'
'Chill.' Dat was Anika.
De klas lachte.
'Uitsloofster,' siste Esmée tegen Berber.
'Dat moet je nog maar afwachten, of dat zo chill is.' Djanno deed zijn vingertoppen een paar keer tegen elkaar aan. 'Ik zou het prettig vinden als jullie allemaal je naam zeggen en heel kort iets over jezelf vertellen. Dat geeft mij de gelegenheid om jullie namen snel te leren. Begin jij maar.' Hij wees op de jongen die in zijn eentje vooraan in de rij bij het raam zat.
Na twintig minuten was iedereen aan de beurt geweest.
'En nu ikzelf nog.' De leraar zette weer zijn vingertoppen een aantal malen tegen elkaar.
'Volgens mij is hij zenuwachtig,' fluisterde Berber tegen Elise.
'Mijn naam kennen jullie inmiddels al. Jullie kunnen mij ook gewoon bij mijn voornaam noemen. Ik heb Nederlands gestudeerd en heb deze zomer mijn afsluitende examens gedaan. Misschien ga ik nog promoveren, maar dat weet ik nog niet zeker. In mijn vrije tijd lees ik graag en ik geef elke zaterdag tennisles. Zijn er hier mensen die tennissen?' Vragend keek hij de klas rond.
'Zij hockeyt!' Esmée wees op Berber. 'Ze zit in de selectie!'
'Houd je mond, gek,' siste Berber tegen Esmée.
'Ik heb ook gehockeyd,' zei Djanno, 'maar niet in de selectie. Hoe lang hockey je al?'

'Acht jaar of zo,' mompelde Berber.
Djanno wendde zijn blik van haar af en raakte in gesprek met twee jongens die ook tennisten.
'Eens even kijken of ik jullie namen al een beetje ken.' Djanno richtte zich nu weer tot de hele klas.
Zonder ook maar een fout te maken, noemde hij alle namen op en daarnaast over iedere leerling iets wat ze zelf verteld hadden bij het voorstelrondje.
'Iemand of iets vergeten?' vroeg hij toen hij klaar was.
'Hoe kun je dat zo snel?' vroeg Job.
'Kwestie van aanpak, concentratie en geheugen natuurlijk.'
'Het knapste jongetje van de klas,' fluisterde iemand.
'Ik wilde dat ik zo goed kon leren,' verzuchtte Elise.
'Kwestie van aanpak, concentratie en geheugen,' zei Djanno nog een keer.
'Ja, dat weten we nu wel,' zei Esmée zachtjes.
Djanno kuchte een keer. 'Als je wilt, kan ik jullie daar wel eens een keer een lesje over geven, maar nu wil ik dat jullie je boek voor je nemen.'
Enkele leerlingen maakten aanstalten om hun boek te pakken, maar de rest begon te kletsen.
'Boeken voor je nemen,' herhaalde Djanno strak.
Langzaam boog de een na de ander zich onder druk gepraat naar zijn tas en haalde zijn boek tevoorschijn.
'Ik wacht tot het helemaal stil is,' riep Djanno.
'Dan kan je lang wachten,' zei Esmée achter haar hand.
Maar na een minuut of vijf ebde het meeste geroezemoes toch weg en ondanks het feit dat het nog steeds niet helemaal stil was, begon Djanno met zijn les.

4

'Waarom denk je dat je een goede leerlingenmentor kunt zijn?' Onderzoekend keek meneer Koolen, de brugklascoördinator haar aan.
'Ik ben vaak scheidsrechter bij hockeywedstrijden van de mini's en de maxi's. En ik ben deze zomer meegeweest als leiding van het hockeykamp,' vertelde Berber.
'Oké. En wat heb je daarvan geleerd?'
Berber dacht na. Pfff, wat een moeilijke vraag. Wat had ze daarvan geleerd? Geen idee eigenlijk, maar dat kon ze natuurlijk niet zeggen.
'Ik kan wel goed met kinderen omgaan, geloof ik,' zei ze voorzichtig. 'Op dat kamp waren de meisjes uit mijn groepje steeds bij me en ze vertelden me van alles.'
'Zoals?'
'Op wie ze waren en zo. En één meisje had heimwee. Dat was wel zielig.'
'Was er ook wel eens ruzie?' vroeg de brugklascoördinator.
'Niet met mij, maar er waren twee meisjes in mijn groepje die een keer gevochten hebben.'
'Kon je dat oplossen?'
'Ja. We hebben erover gepraat en daarna ging het beter.'
Meneer Koolen lachte. 'Goed, je bent aangenomen. Je wordt leerlingmentor samen met Thomas Verley, in de klas van mevrouw Winkels. Morgenmiddag na schooltijd komen alle leerling- en brugklasmentoren bij elkaar om kennis te maken. Ik ben er dan ook.'
'Goed.'
'Wil je dan nu de volgende kandidaat binnenlaten?'

Berber ging de kamer uit en zei tegen Maartje die al stond te wachten dat ze naar binnen kon gaan.
Ze keek op haar horloge. Het duurde nog een kwartier voor haar tussenuur was afgelopen en Engels begon. Ze ging lekker een kop koffie halen in de leerlingensoos.
Ze ging naar beneden. Het was er druk. Ze bestelde de kop koffie en nam er een speculaaspop bij.
Thomas kwam naar haar toe. 'Wij zijn samen leerlingen-mentor, hè?'
'Ja.'
'Leuk.'
'Dat moet je afwachten of dat leuk is,' grapte Berber.
'Waar ben jij met vakantie geweest?' vroeg Thomas.
'Portugal. Jij?'
'Ik heb zes weken een cursus Engels in Engeland gevolgd. Vet joh!'
'In je eentje?' vroeg Berber verbaasd. Ze brak haar speculaaspop middendoor. 'Wil je ook?'
'Graag.'
Ze gaf hem de helft.
'Bedankt.'
'Helemaal alleen?' vroeg Berber nog een keer.
'Ja. Je weet toch dat ik hartstikke slecht in Engels was? Nou, toen had mijn vader bedacht dat ik dat in de vakantie maar eens moest bijspijkeren. Je kunt je voor zo'n talencursus opgeven. 's Ochtends heb je lessen en 's middags doe je allerlei leuke dingen.'
'Dan spreek je nu zeker wel goed Engels?'
'Best wel.'
'Krijg je het dit jaar met Engels lekker makkelijk.'

'Nou,' zei Thomas bedenkelijk, 'dat weet ik niet. Grammatica vind ik nog steeds moeilijk.'
'Maar voor de woordjesproefwerken scoor je natuurlijk vet goed en voor de luistertoetsen ook.'
'Ik hoop het. Vorig jaar had ik alleen maar vieren.'
De bel ging en Berber dronk haastig haar laatste beetje koffie op. Samen liepen ze de trap op naar boven.
'Bij wie kom je?' vroeg Elise meteen, toen ze het lokaal Engels binnenkwam.
'Wat bedoel je?' vroeg Berber verbaasd.
'Bij welke mentor?'
'O dat. Bij mevrouw Winkels.'
'Mevrouw Winkels is aardig.' Elise haalde haar boeken uit haar tas. 'Ik heb in de tweede muziek van haar gehad.'
'En wie wordt de andere leerlingmentor?' wilde Esmée weten.
'Thomas.'
'Dat is een schatje,' gilde Esmée.
'Mens, schreeuw niet zo,' bromde Elise. 'Jij vindt volgens mij iedere jongen een lekker ding of een schatje. Houd jij je nu maar bij Roman.'
'Dat doe ik heus wel, hoor. Ik ben zo monogaam als de pest. Maar daarom kan ik een andere jongen nog wel een schatje vinden. Toch?'
'Natuurlijk,' zei Berber kalmerend. 'Wind je niet zo op!'
'Nou ja, jullie ook.'
'Wat nou, jullie ook?' begon Elise. 'Wij...'
'Lady's en gentlemen!' De stem van hun leraar Engels maakte een einde aan hun geharrewar. 'The lesson begins.'

5

Toen Berber de lerarenkamer binnenkwam, waren er al een aantal brugklas- en leerlingmentoren aanwezig. Ook meneer Koolen was er. Hij stond bij de koffie en thee.
'Kom binnen en ga zitten,' nodigde hij uit. 'Wat wil je drinken?'
'Thee graag.'
De brugklascoördinator schonk een kopje voor haar in en zette dat bij haar neer. 'Als je een koek wilt?' Hij schoof het schaaltje naar haar toe.
Ook de anderen druppelden nu binnen en gingen om de tafel zitten.
Berber keek rond. Gek om hier zo te zitten. Normaal was de lerarenkamer verboden terrein voor leerlingen. In de pauze willen we even geen leerlingen zien, had Nijntje eens gezegd. Dan willen we rust.
'Volgens mij zijn we compleet.' Meneer Koolen keek op zijn papier. 'Dan gaan we beginnen.'
Het werd stil.
'Goed dan,' zei meneer Koolen. 'Ik heb deze bijeenkomst belegd om de mentoren alvast even kennis te laten maken met de leerlingmentoren. Eind volgende week is er op vrijdagavond een brugklasfeest. Dat begint om halfacht. Ik wilde voorstellen dat wij van tevoren met ons allen pizza gaan eten. Dat is dan een mooie gelegenheid om elkaar wat beter te leren kennen. Is dat akkoord?'
Verschillende mensen pakten hun agenda om de afspraak te noteren.
Meneer Koolen gaf nog een aantal data door van brugklas-

activiteiten waarbij iedereen aanwezig moest zijn. 'En, last but not least, in de laatste week voor de herfstvakantie gaan alle brugklassers drie dagen op kamp.'
Lucie stak haar vinger op. 'Krijgen wij dan vrij?'
'Uiteraard.' Meneer Koolen knikte haar toe. 'Geen probleem toch?'
Lucie keek een beetje moeilijk. Berber zag het.
'Maar als je dan proefwerken hebt of zo?' wilde Lucie weten.
'Dat regelen we natuurlijk,' stelde meneer Koolen haar gerust.
Wauwie, drie dagen vrij! Berber stak even haar duim op naar Thomas die tegenover haar zat. Thomas stak ook zijn duim op.
Ze lachten naar elkaar.
Meneer Koolen vertelde nog het een en ander over hun taken. 'De mentor is altijd eindverantwoordelijk,' zei hij. 'Daar moeten jullie goed om denken. Als bruggers jullie iets vertellen waarvan je denkt dat de mentor dat moet weten, schroom dan niet om hem of haar in te lichten.'
'En als zo'n brugklasser dat dan niet wil?' wilde Berber weten.
'De mentor zegt heel nadrukkelijk in zijn klas, dat de leerlingmentoren in principe alles met hem of haar doorspreken en niets geheim mogen houden.'
'Dat vind ik wel een beetje raar.' Lucie stak haar hand omhoog en liet hem ook meteen weer zakken.
'Nee, dat is het niet.' Nu nam mevrouw Winkels het woord. 'De leerlingmentoren zijn er vooral voor "de leuk", om de sfeer in de school positief te beïnvloeden. Een brug-

ger stapt met een probleempje sneller naar een ouderejaars dan naar de mentor. En je hoeft ook niet alles aan ons te vertellen natuurlijk. Maar we willen voorkomen dat jullie opgezadeld worden met een groot probleem en daar dan met niemand over kunnen praten. Een paar jaar geleden bijvoorbeeld had ik een meisje in mijn brugklas dat door drie andere meisjes in het geniep ontzettend werd geterroriseerd. Niemand merkte het. Ze vertelde het onder geheimhouding aan de leerlingmentor, maar die kon het in haar eentje helemaal niet oplossen en kreeg er slapeloze nachten van. Nou, zulke dingen moeten jullie echt met ons bespreken.'
Meneer Koolen knikte. 'Jullie hebben elke maand een keer brugklasoverleg met de mentor. Dat kan na schooltijd, maar ook best in een pauze. In dat overleg "bespreken" jullie je klas.' Meneer Koolen liet een moment een stilte vallen. 'Goed,' zei hij toen, 'dan kunnen de docenten gaan. De leerlingen wil ik graag nog een half uurtje hier houden.'
De docenten schoven hun stoel naar achteren. Berber keek naar hen. De meesten kende ze wel en vond ze aardig. Wel gek om nu zo met docenten om te gaan, bijna alsof ze leeftijdsgenoten waren, of zo.
'Morgen het eerste uur, dat is tijdens het mentoruur van de brugklassen, moeten jullie bij je brugklas langs om je voor te stellen,' zei meneer Koolen, toen de mentoren weg waren. 'Ik wil graag dat je nu samen met je medeleerlingmentor een praatje voorbereidt.'
Berber en Thomas gingen bij elkaar zitten.
'Oké, wat vertellen we?' Thomas pakte pen en papier uit zijn tas.

Berber keek hem van opzij aan. Thomas was aardig. Niet knap of zo, maar doodgewoon aardig. Ze moest denken aan Esmée die hem een "schatje" had genoemd.
'Waarom lach je?' vroeg hij.
'Weet je dat er een meisje is dat jou een schatje vindt?'
'Wie?'
'Zou je wel willen weten hè?' vroeg Berber plagerig.
'Zeg op dan!'
'Esmée.'
'O die.'
'Hoezo, "o die"?'
'Esmée is toch al bezet?'
'Dat is zo,' gaf Berber toe.
'Zullen we beginnen?' Thomas scheurde een paar vellen papier uit zijn proefwerkblok en legde daar een van voor haar neer.
'Oké.' Berber beet op de achterkant van haar pen. Samen bogen ze zich over hun papier en zacht overleggend bereidden ze hun voorstelpraatje voor.

6

Op het moment dat Berber de sleutel in het slot van de voordeur stak en die zo zachtjes mogelijk omdraaide, hoorde ze dat Boy, haar babybroertje van drie maanden zacht mekkerend begon te huilen.
Ze zuchtte. Dat eindeloze gehuil, gek werd je ervan.
Boy was een nakomertje. Haar moeder had gedacht dat ze in de overgang was, toen ze bijna een jaar geleden niet meer ongesteld werd, maar ze bleek zwanger te zijn.
Boy was een huilbaby. Berber zuchtte nog een keer. Het was om stapel van te worden zo'n krijsende baby. Mama hield het maar net vol.
Berber zette haar tas onder de kapstok en ging de grote woonkamer binnen.
Haar moeder lag op de bank. 'Ik heb thee.'
'Lekker.'
Berber plofte op de andere bank neer.
'Alles goed op school?'
'We hebben een nieuwe voor Nederlands en ik ben leerlingmentor van een brugklas geworden.'
'O ja, daar had je het al over. Leuk?'
'Ja.' Berber pakte de thermoskan van tafel en draaide de dop los. 'Jij ook?'
'Graag.' Haar moeder kwam omhoog. 'Ik heb even de ergste vermoeidheid weggeslapen.'
'Heeft hij de hele dag gehuild?'
Haar moeder knikte. 'Ik heb eindeloos met hem gelopen in de buikdrager. Het afgelopen uur was hij gelukkig stil.'
'Hij begon te huilen toen ik de voordeur opendeed.'

'Nee toch?' Haar moeder kwam van de bank af. 'Ik heb niets gehoord.'
'Het was ook nog niet zo hard,' zei Berber. 'Zal ik hem halen?'
'Doe maar.'
Berber ging de trap op en duwde de deur van het kleine kamertje open. Ze boog zich over het ledikantje. Het jongetje was meteen stil toen ze hem oppakte. 'Huilebalkje.' Ze wiegde hem in haar armen en legde hem toen op de commode voor een schone luier.
Meteen zette hij weer een keel op.
'Klein zenuwpeesje.' Snel verschoonde ze de baby en nam hem mee naar beneden.
'Geef maar.' Haar moeder strekte haar armen uit.
Berber gaf haar de baby.
Haar moeder knoopte haar blouse open en maakte het haakje aan de voorkant van haar bh los.
Berber zag hoe haar broertje happend zocht naar de tepel.
'Ik wil nooit kinderen,' zei ze.
'Waarom wil je geen kinderen?' vroeg haar moeder. 'Kijk eens naar dit lieve mannetje.' Ze aaide Boy, die nu gulzig dronk, zachtjes over zijn hoofdje.
'Al dat gejank! Ik word er helemaal gek van!'
'Nou ja,' vergoelijkte haar moeder, 'dat gaat heus wel over als hij wat groter wordt.'
'Dat mag je hopen,' zei Berber sceptisch.
Ze hoorden de voordeur open- en dichtgaan. Toen werd de kamerdeur opengegooid en wervelde Bloem binnen.
'Meester Frans heeft bijna alle jongens straf gegeven.'
'Waarom dan?'

'De jongens gooiden steeds de deur van onze kleedkamer open.
'Wat flauw,' zei haar moeder. Bloem knikte. 'Ja, alle meiden begonnen ontzettend te gillen. Heel stom. En toen kwam meester Frans en die was woedend.
Berber lachte.
'Berber, ik vind dit niet om te lachen,' bestrafte haar moeder, terwijl ze de baby rechtop tegen haar schouder hield en hem zachtjes op zijn ruggetje klopte.
'Sorry, maar ik zie het gewoon voor me. Al die joelende jongens aan de ene kant en die gillende meiden aan de andere.' Berber beet op haar lip om de lach tegen te houden. Ze pakte de theepot. 'Wil je ook?'
Bloem knikte.
Berber schonk in.
'Mag ik Boy?' vroeg Bloem.
'Drink eerst je thee maar even op.' Haar moeder legde de baby in het wipstoeltje.
Meteen begon hij weer te huilen. Zijn handjes tot vuistjes gebald bewogen driftig heen en weer.
Bloem maakte sussende geluidjes en dronk haastig haar thee. Toen ze haar kopje leeg had, pakte ze Boy op. Meteen staakte de baby zijn gebrul.
Berber keek naar haar zusje die in de schommelstoel was gaan zitten met Boy op haar schoot. Ze praatte zachtjes tegen het jongetje en aaide met haar lange, glanzende haren over zijn hoofdje.
Bloem had talent om met baby's om te gaan. Haar zusje was rustig en ze deed blijkbaar precies wat zo'n kindje prettig vond.

‘Ik ga naar boven.’ Berber pakte haar tas. ‘Ik stik in het huiswerk.’
‘Kom je dan wel eten straks?’ wilde Bloem weten.
‘Waarom zou ik niet eten?’ vroeg Berber verbaasd.
‘Als je stikt, eet je niet meer zoveel, volgens mij.’ Bloem giechelde.
‘Erg leuk, hoor.’ Berber stak haar tong uit naar haar zusje, voordat ze de kamer verliet.

7

Buiten adem zette Berber haar fiets op slot. Twee minuten te laat. Shit, dat was de tweede keer in twee weken tijd. Kon ze zich twee keer om acht uur gaan melden. Ze had nu Nederlands. Misschien zou Djanno haar zonder briefje binnenlaten.

Ze stopte haar jas in haar kluisje en liep de trap op naar boven. Voor het lokaal van Nederlands bleef ze staan. Het was rumoerig in de klas. Het kostte Djanno veel moeite om de boel onder controle te houden. De ene keer ging het best goed, de andere keer minder.

Ze duwde de deur open.

'Ha Berber,' riep Esmée hard door de klas.

Berber keek aarzelend naar Djanno.

'Heb je een briefje?' vroeg hij.

'Nog niet.'

'Nou vooruit, voor deze keer. Ga gauw zitten.'

Opgelucht ging ze naar haar plaats.

'Denk erom dat jullie volgende week jullie betoog geschreven hebben.' Djanno schreef de inleverdatum op het bord en zette er een groot uitroepteken achter. 'Minimale lengte vijfhonderd woorden. Denk daaraan!'

'Maar we hebben net een opdracht voor het leesdossier moeten inleveren! Die hebben we nog niet eens terug,' riep Aisha door de klas.

'Tadaaaah!' Djanno deed een greep in zijn bureaula en hield triomfantelijk een pakketje A-4 formaat papier omhoog. 'Jullie leesautobiografieën, nagekeken en al!'

'Maar volgende week moeten we ook al een opdracht voor

geschiedenis inleveren,' protesteerde Anika.
'Je krijgt het nu eenmaal niet cadeau op school.' Djanno liep tussen de rijen door en deelde het nagekeken werk uit.
'Je kunt die opdracht toch ook opgeven voor over twee weken,' stelde Thomas voor.
'Ja alsjeblieft,' klonk het van verschillende kanten.
'Jullie hebben morgen een blokuur om te schrijven aan je betoog. Als je die tijd goed besteedt, ben je er thuis in een uurtje mee klaar.' Djanno bleef bij het tafeltje van Berber en Elise staan en negeerde het gemopper van de leerlingen.
'Berber, ik was onder de indruk van jouw leesautobiografie,' zei hij. 'Zoals jij je nog haarscherp herinnert wat de eerste boeken waren, die je werden voorgelezen en ook hoe je het voorlezen vond. Heel goed. Je hebt een negen.'
'Een negen? Vet!' Berber keek naar het blad dat hij nog steeds in zijn hand hield. Ze was dol op lezen, altijd al geweest en ze had voor deze opdracht haar moeder maar eens uitgebreid geïnterviewd over alle boeken die ze voorgelezen had. Want dat was de opdracht geweest: Een verhaal schrijven over jezelf en je boeken, te beginnen bij je vroegste herinnering tot nu.
'Ik zou graag willen dat jij je werk voorleest.'
'Voorlezen?' Berber voelde zich op slag ongemakkelijk worden. 'Voor de klas?'
'Ja. Of wil je dat niet?'
'Eh nee, ik bedoel, ik wilde, ik eh...'
'Het hoeft niet, maar mag ik het dan voorlezen?'
Berber knikte opgelucht.
Djanno ging verder met uitdelen en toen hij daarmee klaar

was, ging hij voor de klas op zijn tafel zitten en keek de klas rond. 'Stilte graag,' zei hij. Hij keek afwachtend de klas rond.
'Ik wil jullie de leesautobiografie van Berber voorlezen,' zei hij. 'Luister goed, want een aantal van jullie moet zijn werk gaan herschrijven en kan op deze manier ideeën opdoen.'
'Volgens mij valt ie een beetje op jou!' Berber voelde een zacht duwtje van Esmée tegen haar schouder. 'Leraren zijn altijd dol op leerlingen die voor hun vak goede cijfers halen.'
'Houd toch je kop,' fluisterde Berber naar achteren. Ze keek even over haar schouder naar Esmée, die breed grijnsde.
'Als de dames daarachter ook zover zijn, dan kan ik beginnen.' Djanno keek fronsend hun kant op. 'Dat geklets van jullie steeds,' zei hij een beetje geïrriteerd. 'Waar hebben jullie het over.'
'Over jou,' zei Esmée brutaal.
Een paar meiden giechelden onderdrukt.
Djanno kuchte een keer. 'Nog een keer zo'n antwoord en je kunt gaan.'
'Hoe dat zo?' vroeg Esmée met opgetrokken wenkbrauwen.
'Pak je spullen maar en verdwijn.'
'Ik deed helemaal niets,' sputterde Esmée tegen.
'Precies. Deed je maar eens wat, dan had je nu geen onvoldoende gekregen.'
'Flauw hoor,' mopperde Esmée.
'Wegwezen,' zei Djanno strak.

Berber zag dat hij bij zijn oren een beetje rood werd en ze voelde zijn onzekerheid en gespannenheid op haar overslaan. Wat als Esmeé bleef zitten?
Onrustig wachtte ze. Ze zou het vreselijk vinden als Djanno af zou gaan.
'Ah, toe nou, mag ik blijven?' Esmée keek hem smekend aan. 'Ik zal echt niets meer zeggen.'
Djanno keek haar een beetje besluiteloos aan. 'Als je dan nu maar goed luistert,' zei hij toen.
'Doe ik.' Esmée knikte en lachte hem stralend toe.
Djanno kuchte nog een keer en begon te lezen.
Berber keek naar hem en voelde zich een beetje opgelaten. Het was gek om haar woorden uit zijn mond te horen. Mooie stem had hij eigenlijk. Ze keek om zich heen om te zien hoe de anderen reageerden. Die luisterden, gewoon, zoals ze vaker luisterden naar een leraar. De een zat te tekenen, een ander zat te bladeren in haar agenda en een derde keek in het rond. Gelukkig was iedereen wel stil.
Berbers ogen dwaalden terug naar de leraar voor de klas, die op de punt van zijn tafel zat en haar leesautobiografie in zijn handen had. Dat papier had zij ook aangeraakt. Gebruinde handen had hij, net zoals zijn gezicht. Haar ogen gleden van zijn ogen naar zijn neus en als laatste naar zijn bewegende lippen. En opeens voelde ze zich warm worden.

In de grote pauze was het druk in de kantine. Samen met Elise stond Berber bij de soepautomaat te wachten.
'Ha meiden, een lekker soepje gaat er altijd wel in hè?' Djanno bleef even naast hen staan. Elise knikte.

'Ik heb pauzesurveillance,' zei Djanno. 'Opletten of de leerlingen niet gaan vechten en of ze hun rommel wel in de prullenbak gooien. Nou ja, het is niet anders. Ik ga weer verder. Jou zie ik vanavond, toch?' Hij wachtte niet op antwoord en liep alweer door.
Berber keek hem na. Ze wilde dat hij nog even was blijven staan. Ze wilde naar hem kunnen kijken. Heel lang.
'Hij is wel aardig, hè?' Elise schoof een stukje in de rij naar voren. 'Vind je niet?'
'Ja.' Berber verschoof de band van haar schoudertas.
'Wel een beetje onzeker af en toe.' Elise grabbelde in haar broekzak naar een muntje voor de soepautomaat.
Berber mompelde iets vaags. Wat zou ze vanavond aantrekken? Die nieuwe spijkerbroek tot net over de knie met haar hoge zwarte laarzen. Maar wat moest erop? Eigenlijk had ze niet echt iets leuks meer.
'Luister je wel?' Elise stootte haar aan.
'Ga je na school mee de stad in? Ik wil nog iets nieuws kopen.'
'Voor wie ga jij je mooi maken?' plaagde Elise.
'Doe niet zo stom! Voor niemand.' Berber werd vuurrood.
Elise lachte. 'Voor Thomas?'
'Nee, natuurlijk niet,' snauwde Berber.
'Nou, stil maar.' Elise klopte haar bedarend op haar rug. 'Thomas is anders best een lekker ding.'
'Doe je best,' zei Berber kortaf.
Ze waren aan de beurt en haalden allebei een bekertje soep uit de automaat. Daarna zochten ze een plaatsje in de overvolle kantine. Berber had de smoor in over haar heftige reactie van daarnet.

'Ik ga mee hoor.' Elise nam een slok van haar soep. 'Even lekker shoppen. Hoe laat zijn we vrij?'
'Vijf voor twee, geloof ik.'
Elise sloeg haar agenda open. 'Klopt. Waar wilde je heen?'
'Je weet wel, die nieuwe zaak Glamourgirlz. Die heeft vet leuke dingen.'
'Best.' Elise stopte de agenda terug in haar tas.
'Elies, sorry van daarnet hoor.'
'Joh, dat is wel goed.'
Ze dronken allebei van hun soep.
'Hé, heb jij economie geleerd?' vroeg Elise toen. 'We krijgen vast en zeker een toets.'
Berber keek verschrikt. 'Dat méén je?' Ze haalde haar economieboek uit haar tas en sloeg het open.
'Waarover?'
'Bladzijde twaalf tot en met achttien.'
'Help me even met de belangrijkste dingen.' Berber zocht de goede bladzijde. 'Hebbes.'
Samen bogen ze zich over het boek.

8

Om klokslag zes uur kwam Berber de pizzeria binnen. Ze keek even zoekend rond en liep toen naar de grote tafel die voor hen gereserveerd was, waaraan al enkele leerlingen zaten. Ze zag in één oogopslag dat Djanno er nog niet was. Ze ging naast Maartje zitten en hing haar jas over de rugleuning. Misschien zou hij aan de andere kant naast haar komen zitten. Daar was nog een plaats vrij, maar ook schuin tegenover haar, naast mevrouw Winkels.

'Gaaf shirtje heb je aan?' zei Maartje. 'Waar heb je dat gekocht?'

'Bij Glamourgirlz.'

'Duur?'

'Ging wel.'

'Krijg jij kleedgeld?' wilde Maartje weten.

'Ja.'

'Hoeveel dan?'

'Tachtig euro.'

'Tachtig? Wat veel! Ik krijg maar vijftig. Dus ik heb nu sinds de vakantie een baantje bij AH.'

'Nou ja,' Berbers blik dwaalde even af naar de deur, 'mijn ouders willen per se niet dat ik werk.'

'Waarom niet?'

'Omdat ik in de selectie hockey. Dus kan ik sowieso al niet op zaterdag werken in verband met de wedstrijden. En mijn ouders willen dat ik de rest van de tijd vrij houd voor mijn schoolwerk.'

'Ik werk op donderdagavond en op zaterdag en soms doordeweeks ook nog van vijf tot acht,' vertelde Maartje. 'Een

beetje spijkerbroek kost zo zestig euro.'
'Dat is waar,' gaf Berber toe. Met een half oog hield ze nog steeds de deur in de gaten.
Thomas kwam binnen en plofte met een luidruchtige groet op de lege stoel naast de hare neer.
Berber beet op haar lip.
'Bij wie ben jij leerlingmentor?' Maartje stootte haar aan.
'Bij Winkels samen met Thomas.'
'Ik bij Djanno. Heb jij ook les van hem?'
Berber knikte.
'Hoe vind je hem?'
'Gewoon. Wel aardig. Jij dan?'
'Wel streng. Soms een beetje te,' zei Maartje.
'Dat doen nieuwe leraren altijd,' kwam Thomas. 'Ze denken dat als ze streng beginnen, dat ze dan beter orde kunnen houden, zegt m'n vader.'
'Nouhou,' zei Maartje, 'misschien werkt dat in de onderbouw, maar in onze klas niet hoor. Bij jullie wel?'
'Soms wel en soms niet,' antwoordde Thomas. 'Het hangt gewoon van onze bui af, hè Berber?'
Op dat moment ging de deur open. Djanno kwam haastig naar binnen. 'Sorry dat ik zo laat ben! Ik kon het eerst niet vinden,' zei hij tegen meneer Koolen. 'Ik woon hier nog niet zo lang.'
Hij gaf de leerlingen die hij niet in de klas had een hand en stelde zich voor. De anderen knikte hij even toe. Daarna ging hij naast mevrouw Winkels zitten en greep meteen naar de kaart. 'Hebben jullie al besteld?'
'Nog niet,' antwoordde mevrouw Winkels.
Berber zag hoe hij met zijn vinger over de kaart van boven

naar beneden gleed. Toen hij haar zo pas had toegeknikt, had hij net even langer naar haar gekeken dan naar de anderen, of had ze zich dat verbeeld? Ze voelde nog steeds het stroomstootje dat door haar buik was geschoten.
'Wat gebeurt er meestal op bruggerfeesten?' Djanno klapte de kaart dicht.
'Vroeger, op onze brugklasfeesten, was het eigenlijk alleen maar dansen,' vertelde Maartje.
'We hebben ook nog een keer een playbackshow gehad, toch?' Berber keek Maartje vragend aan.
Die proestte. 'Ja, dat is waar ook. Wie heb jij toen gedaan?'
'Madonna. Jij?'
'Ik deed met twee vriendinnen K3. Lachen was dat joh.'
'K3, die drie peuterpopmeiden!' Mevrouw Winkels lachte. 'Mijn dochters van vier en vijf zijn er dol op.'
'Met het schoolfeest voor de kerstvakantie hebben we een smartlappenfestival. Dan treed ik ook op, maar dan live,' vertelde Maartje.
'Maar vast niet als een K3 dame,' veronderstelde Djanno.
Maartje schudde haar hoofd.
Twee meisjes kwamen aan hun tafel de bestellingen noteren.
'Kun je goed zingen?' vroeg Thomas, toen ze weer weg waren.
Maartje haalde haar schouders op. 'Een beetje.'
'Geef je op voor Idols,' lachte Djanno.
'Mij niet gezien. Ik ga me daar één beetje voor gek staan.'
'Als je goed bent sta je niet voor gek,' meende Thomas. 'Vind je ook niet, Berber?' Hij stootte haar aan.
Berber had het drukke gesprek wat stil gevolgd. Zij was

vergeleken bij die vlotte Maartje eigenlijk maar een duf typje. Djanno was hier heel anders dan voor de klas. Bijna gewoon ook een leerling. Hij was natuurlijk ook nog jong. Misschien maar acht of negen jaar ouder dan zijn havo 4-leerlingen.
'Hé Berber, zit je te slapen?' Mevrouw Winkels boog zich een eindje naar haar toe.
'Nee.' Verward keek ze de lerares aan. Straks merkten de anderen nog dat zij steeds naar Djanno zat te kijken.
Intussen werden de pizza's uitgeserveerd.
Berber keek naar de enorme pizza op haar bord. Hoe moest ze die weg krijgen? Ze had opeens helemaal geen honger meer.
'Vindt u het leuk op onze school?' vroeg Lucie aan Djanno.
'U mag je tegen mij zeggen, hoor,' zei Djanno. 'En ja, ik vind het leuk.'
'Is dit uw, eh, jouw eerste baan als leraar?'
'Klopt helemaal.'
'Ik zou nooit leraar willen worden,' zei Sven.
'Waarom niet?'
'Al die lastige leerlingen.'
'Jij hebt zelfkennis, zeg,' spotte Djanno.
Berber zei niet veel. Djanno was echt aardig. Dat vonden de anderen ook. Ze merkte het aan hun reactie. Ze keek naar hem en toen hun ogen elkaar even ontmoetten, wendde ze snel haar blik af.
Toen iedereen klaar was met eten, had zij nog meer dan de helft van de pizza op haar bord liggen.
'Mag ik nog een stuk van jou?' vroeg Thomas.
'Ga je gang.' Ze schoof haar bord naar Thomas toe.

‘Nog meer liefhebbers?’ Thomas keek vragend rond.
Ook Sven wilde nog wel een stuk.
In een mum van tijd hadden beide jongens het extra stuk pizza op. Meneer Koolen betaalde de rekening en daarna fietsten ze naar school.
Berber fietste naast Thomas en voor hen reed Djanno naast mevrouw Winkels.

9

De discodreun bonkte door de aula en Berber voelde hem onophoudelijk in haar buik. Ze stond aan de bar en dronk een glas cola. Caro, Evi, Cheyenne en Charlot, vier meisjes uit haar brugklas, hingen voortdurend om haar heen en kletsten over vakken, leraren, toetsen en jongens. Het was een hele toer om je verstaanbaar te maken, want de mensen van de sooscommissie, die altijd op feesten de muziek verzorgden, hadden het volume op volle sterkte gezet.
Nog een half uurtje en dan was het feest alweer afgelopen. Djanno had de hele avond met allerlei mensen gekletst en gedanst, maar niet met haar. Hij stond nu met meneer Koolen te praten.
'Wat zeg je?' gilde Berber voor de zoveelste maal die avond.
'Wat zijn de jongens uit onze klas baby's hè?' schreeuwde Evi in haar oor.
Berber knikte. Ze zag Thomas op hen afkomen. 'Wil je ook een cola?' vroeg ze, toen hij bij hen was.
'Lekker.'
Berber wenkte naar het meisje achter de bar en gaf de bestelling door.
'Leuk feest?' schreeuwde Thomas naar het groepje brugklasmeiden.
Die knikten en giechelden.
'Even naar de wc, hoor.' Charlot trok de drie andere meisjes mee.
'Wel een leuke klas, vind je niet?' vroeg Thomas toen de meisjes verdwenen waren.

'Ja,' zei Berber. Ze keek naar de dansende kinderen. Grappig toch, dat het vooral de meisjes waren die dansten. Dat was toen zij in de brugklas zat al net zo. Jongens durfden niet zo goed of ze schaamden zich.
De meeste jongens hingen een beetje op de banken tegen de muur en keken toe. Evi had gelijk. Vergeleken bij de meiden waren ze nog echt klein, niet alleen die van haar brugklas, maar ook die van de andere vijf brugklassen.
Caro, Evi, Cheyenne en Charlot kwamen weer terug, fluisterend en nog steeds giechelend.
'Wil je dansen?' vroeg Caro aan Thomas.
'Oké.' Thomas zette zijn glas cola neer.
Caro keek even triomfantelijk naar haar vriendinnen.
Ze liepen naar het midden van de aula waar de dansvloer was gemaakt.
'Hadden jullie dat afgesproken?' vroeg Berber aan de drie overgebleven meisjes.
'Ja, we vragen hem om de beurt,' zei Charlot. 'De jongens uit onze klas willen toch niet.'
Mevrouw Winkels kwam naar hen toe. 'En vermaken jullie je een beetje?'
De meiden knikten. 'Gaat u niet dansen?' vroeg Evi.
'Straks misschien.'
Opeens zag Berber dat Djanno en Maartje samen aan het dansen waren. Wat een aanstelster die Maartje. Zoals ze zich bewoog, helemaal belachelijk. Djanno danste een beetje onhandig en dwars tegen de maat in.
De muziek stopte een moment om direct daarna over te gaan in een langzaam nummer. In een mum van tijd was de dansvloer leeg.

Ook Maartje en Djanno liepen naar de kant.
'En dan nu tot slot het grote sneeuwbaldansfestijn,' schalde de stem van de deejee door de aula. 'Mentoren en leerlingmentoren beginnen en zodra de muziek even stopt, kiezen ze een andere danspartner uit de mensen die nog niet op de dansvloer zijn. En, heel belangrijk, het is iedereen ten strengste verboden af te haken.'
Er werd gegild en gelachen.
Berber keek een beetje hulpzoekend om zich heen. Ze zag dat Maartje vragend naar Djanno keek, maar die stond op en ging naar mevrouw Winkels.
Thomas kwam op haar af. 'Wij samen beginnen?' vroeg hij.
'Oké.' Ze deed een paar stappen naar hem toe.
De muziek begon. De brugklassers stonden aan de kant te kijken en te giechelen. Berber keek naar hen. Wie uit haar klas zou ze straks vragen? Ze had geen tijd om er verder over na te denken, want de muziek stopte al.
Ze stapte op een groepje jongens uit haar klas af die zich achter elkaar probeerden te verstoppen.
'Rogier?'
Een klein jongetje met blonde gelpieken kwam naar voren. Hij zag er een beetje verward uit.
'Zet hem op, Rogier!' riepen de jongens uit zijn klas.
Berber zag dat Djanno een wat dik en stil meisje uit zijn klas vroeg. De andere meiden lieten haar wat links liggen. Aardig dat Djanno juist haar uitkoos.
Na tien minuten was de muziek zo vaak gestopt dat iedereen op de dansvloer stond.
'En dan als slot van deze avond nog een laatste wissel,' riep

de deejee boven het geluid van de muziek uit. 'Vraag degene met wie je het liefst wil dansen, want dit is je laatste kans voor vanavond.'
Meteen daarna stopte de muziek.
Berber stond in tweestrijd. Zou ze Djanno durven vragen? Hij stond een meter of tien van haar af.
Ze deed een paar aarzelende stappen in zijn richting, maar Maartje was haar voor. Teleurgesteld bleef ze staan.
Stom mens, die Maartje.
Maar wel erg, erg mooi, zei een treiterig stemmetje in haar hoofd. Veel mooier dan jij.
'Ha, Berber, wij samen?' Berber voelde een klap op haar schouder en draaide zich om. Het was Jesper, een van de leerlingmentoren van een andere brugklas.
Zwijgend liep ze met hem mee.
De muziek begon alweer, om na een halve minuut over te gaan in een langzaam nummer.
Berber voelde hoe Jesper haar naar zich toe trok. 'Ik vind je zo aardig,' fluisterde hij in haar oor, 'al heel lang.'
Berber reageerde niet. Vanuit haar ooghoeken zag ze Djanno en Maartje dicht tegen elkaar aan dansen.
Ze voelde hoe Jesper haar nog dichter naar zich toe trok en instinctief zette ze zich een beetje schrap.
Ze kende Jesper al sinds de brugklas. Een stille, overijverige jongen. Een echte nerd. Ze hadden drie jaar samen in de klas gezeten, maar nu deed Jesper het profiel natuur en techniek en hadden ze geen lessen meer samen. Hij moest al zijn moed verzameld hebben om haar te vragen, want hij had voor zover ze wist, nooit naar een meisje omgekeken.

'Wil je met me gaan?' fluisterde hij in haar oor.
Pfff, lekker ingewikkeld maakte hij het. Wat moest ze daar nu op zeggen? Nee natuurlijk, maar dat klonk wel erg bot.
'Ik eh, ik eh, ik heb al een vriend,' verzon ze snel. 'In Groningen. Op vakantie ontmoet.'
'O, nou, jammer.' Jespers stem klonk teleurgesteld.
'Laat dit nummer afgelopen zijn, laat het nu stoppen,' bad Berber inwendig.
Maar de deejee had er blijkbaar plezier in want hij liet het nummer eindeloos duren.
Over Jespers schouder keek Berber naar de dansende paren. Wat was die Maartje een enorme aanstelster zoals ze met haar hoofd op Djanno's schouder lag, haar ogen gesloten.
Ze zag dat Djanno probeerde een beetje afstand te creëren, maar dat ging moeilijk, want Maartje schoof gewoon steeds wat dichter naar hem toe.
Ze ving Djanno's blik. Misschien dacht hij wel dat zij en Jesper met elkaar gingen. Het liefst had ze Jesper van zich af willen duwen. Ze wrikte wat om een beetje meer tussenruimte te krijgen, maar hij klemde haar vast tegen zich aan. Ze had zin om hem tegen zijn schenen te schoppen.
Op dat moment flitste het licht aan. 'Elf uur! Het is afgelopen!' riep de deejee vrolijk. 'Hopelijk vonden jullie het een leuk feest!'
Er werd gejuicht en gefloten.
Opgelucht deed Berber een paar stappen terug. 'Ik moet naar mijn brugklas.' En haastig ging ze ervandoor.

10

Ongeduldig keek Berber op haar horloge. Twintig voor twaalf. Waar bleef papa? Hij had er al om half twaalf moeten zijn.
Ze stond al meer dan tien minuten bij de fietsenstalling van de leraren voor de school te wachten. De leerlingmentoren hadden samen met de leden van de sooscommissie de aula weer opgeruimd en morgenochtend zou er een ploegje schoonmakers komen om het karwei af te maken.
Ze pakte haar mobiel en zocht het nummer van thuis. 'Met Rademakers,' klonk een slaperige stem.
'Pap waar blijf je?'
'Hoe laat is het dan?'
'Twintig voor twaalf.'
'Ik ben in slaap gevallen op de bank. Sorry, ik kom eraan.'
Op dat moment kwamen de leraren die nog even hadden zitten napraten, naar buiten. 'Sta je hier nog?' vroeg meneer Koolen verbaasd.
'Mijn vader was in slaap gevallen. Hij komt er zo aan.'
'Ik wacht wel even tot hij er is,' zei mevrouw Winkels. 'Ik vind het maar niks als een meisje hier in haar eentje moet staan wachten.'
De andere leraren groetten en vertrokken.
Berber zag vanuit haar ooghoeken dat Djanno naar zijn fietssleutel zocht. Eerst in de zakken van zijn jack, toen in die van zijn broek.
'Hebbes!' Hij stak het sleuteltje in het slot en liep met zijn fiets naar hen toe en bleef bij hen staan.
'Vond je het een geslaagd feest?' vroeg mevrouw Winkels.

'Ja.' Berber zocht naar iets om te zeggen, maar ze vond niks.
'Onze brugklas is leuk hè?' ging de mentor verder.
'Ja,' zei Berber weer.
'Leuk, om met dit stel straks op kamp te gaan, denk je niet?'
'Ja.' Ze kon zichzelf wel slaan om die debiele 'ja-antwoorden'. Djanno zou haar wel hartstikke saai vinden.
'Volgens mij wordt Monica uit mijn klas een beetje buitengesloten, is jou dat ook opgevallen?' vroeg Djanno aan mevrouw Winkels.
Die knikte. 'Ik merk het ook in mijn lessen.'
'Is dat dat stille, een beetje dikke meisje?' wilde Berber weten.
'Klopt,' zei mevrouw Winkels.
Ja, ze... ze stond vanavond best veel alleen,' vulde Berber aan. Hè, hè, dat was een beetje meer dan alleen maar ja.
'Moeten we daar iets aan doen?' Djanno keek mevrouw Winkels vragend aan.
'Voor dit soort dingen heb je in eerste instantie je leerlingmentoren,' zei deze. 'Laat die het eerst maar eens proberen.'
'Dan zal ik Maartje er maar eens opaf sturen,' zei Djanno. 'We moeten haar wel een beetje in de gaten houden, want op de basisschool werd ze nogal gepest.'
'Heb jij gezien wie er in onze klas risico loopt?' vroeg mevrouw Winkels aan Berber.
'Vincent?'
Mevrouw Winkels knikte.
'Ik heb hem helemaal niet gezien vanavond,' zei Berber.

'Hij was er ook niet. Zijn moeder belde dat Joram en Patrick hem al een paar keer te grazen hebben genomen.'
'Hier op school zijn ze best streng als het om pesten gaat,' zei Berber.
'Hoe dan?' wilde Djanno weten.
'We hebben hier een counselor en die gaat bij een pestmelding altijd naar de klas toe en dan krijgt die klas een antipesttraining.'
'Antipesttraining?'
'Zo noemen ze dat hier.'
'Wat houdt dat dan in?'
'Rollenspelen en zo, om iedereen te laten voelen hoe naar pesten is. En ze leren die klas iets over sociale vaardigheden. En voor de pesters uit zo'n klas is dan vaak nog een extra programma na schooltijd.'
'Dat zal ze leren,' meende Djanno. 'Prima zaak. Toen ik op school zat deden ze er helemaal niets aan.'
'Ik zal om te beginnen eerst maar eens een hartig woordje met Joram en Patrick spreken,' zei mevrouw Winkels. 'En ik zal Thomas vragen om de boys uit mijn klas wat in de gaten te houden.'
Voor de school stopte een auto. Het portier zwaaide open en haar vader stapte uit. Hij zwaaide even naar haar, liep naar de kofferbak en haalde daar het fietsenrek uit.
'Daar is mijn vader,' zei Berber. Ze liep met haar fiets aan de hand naar de auto toe.
Djanno en mevrouw Winkels liepen met haar mee. 'We heb ook maar even gewacht, anders stond uw dochter hier zo alleen.' Mevrouw Winkels stak haar hand naar haar vader uit.

Haar vader schudde de naar hem uitgestoken hand en daarna die van Djanno. 'Ons zoontje houdt ons 's nachts nogal eens uit de slaap. En vanavond was hij een paar uur stil, dus toen zijn mijn vrouw en ik allebei voor de televisie in slaap gevallen.'
'Dat geeft echt niet.' Mevrouw Winkels lachte. 'Vervelend zo'n huilertje. Onze oudste dochter kon er ook wat van. 't Is doodvermoeiend.'
Haar vader had inmiddels de fiets op het rek bevestigd.
'Goed weekend.' Djanno gaf haar een klopje op de schouder.
Langzaam stapte Berber in en maakte haar riem vast. Ze legde haar hand op haar schouder en voelde opnieuw de aanraking van zijn hand.
Haar vader stapte ook in en startte de motor.
Berber zag hoe Djanno en mevrouw Winkels op hun fietsen stapten en wegreden. De twee rode achterlichtjes verwijderden zich steeds verder.

11

'Kun je Bloem niet wakker maken?' mopperde Berber. Ze was zoals elke nacht wakker geworden van Boys gekrijs. Meestal bleef ze in bed liggen met haar hoofd onder haar dekbed, maar nu had ze moeten plassen na alle cola's van die avond.
Haar moeder zat met Boy op schoot die luidkeels huilde.
'Nee, natuurlijk niet,' snauwde haar moeder. 'Ik maak toch om twee uur 's nachts geen kind van elf wakker.'
'Is hij weer wakker?' informeerde haar vader, die ook binnenkwam, overbodig.
'Nee hoor, dat lijkt maar zo.' Berber plofte op de bank.
'Geef mij hem maar even.' Haar vader nam de baby over en wandelde op en neer door de kamer. Even leek het alsof Boy bedaarde, maar nog geen halve minuut later barstte hij weer in een onbedaarlijke huilbui uit.
'Gek word ik ervan. Wat heeft dat kind toch? Wat doe ik niet goed?' Even leek het of haar moeder ook zou gaan huilen, maar ze beheerste zich.
'Jij doet het prima,' zei haar vader. 'Echt. Sommige baby's huilen nu eenmaal meer dan andere.'
'Dat wij dat nu net moeten treffen,' zei haar moeder treurig. 'Berber en Bloem waren zulke zoete baby's.'
'Maar dit is een jongen.' Berber vouwde haar benen onder zich. 'En jongens hebben wel vaker wat te mekkeren.'
Haar moeder schoot in de lach. 'Dat zal het zijn.'
'Lekker stel zijn jullie.' Vader legde Boy tegen zijn schouder. 'Ze weten er niks van, hè jochie?' zei hij tegen de baby. 'Jij bent papa's grote vent! En over een poosje word

je een lachebekje, afgesproken?' Hij klopte de baby kalmerend op zijn ruggetje.
'Bij de babymassage zei de leidster dat baby's meestal heel goed slapen na een massage,' zei haar moeder een beetje neerslachtig. 'Onze Boy helaas niet dus.'
'Het is maar een fase,' suste haar vader. 'En hij heeft toch een hele poos geslapen? Ik vind dat het echt al beter gaat.'
'Ach ja, ik ben gewoon moe.' Haar moeder wreef zich over haar voorhoofd.
'Weet je wat, ik ga wel een eindje met hem in de auto rijden.
'Nu?' vroeg haar moeder verbaasd. 'Midden in de nacht?'
'Waarom niet? Autorijden maakt hem altijd lekker rustig en tien tegen een dat hij dan wel in slaap valt.'
'Pak hem warm in, hoor,' zei haar moeder bezorgd, toen haar vader met Boy de kamer verliet.

'Ga jij maar gauw weer slapen,' zei haar moeder, toen ze samen vader en Boy hadden uitgezwaaid. 'Anders ben je niet fit voor je wedstrijd van morgen.'
'O, die is pas om één uur,' zei Berber. 'Ik kan uitslapen. En bovendien, ik kan toch niet meteen weer slapen. Eigenlijk heb ik nog wel zin in iets.'
'Waarin dan? Glaasje warme melk?' vroeg haar moeder.
'Kopje koffie.'
'Ben jij mal, dan doen we helemaal geen oog meer dicht.'
'Oké, melk dan maar.'
'Hoe was je feest eigenlijk?' vroeg haar moeder, toen ze allebei met een mok warme melk op de bank zaten.
'Leuk.'

'Was het een schoolfeest?'
'Nee, ik had je toch verteld dat het een brugklasfeest was en dat ik daar naartoe moest omdat ik leerlingmentor ben.'
'O ja, dat is ook zo. Soms dringen dingen niet helemaal goed tot me door.'
'Door slaapgebrek.' Berber keek haar moeder opmerkzaam aan. 'Je ziet er echt belabberd uit, mam. Zal ik je opgeven voor dat leuke programma op televisie? Dan geven ze je in een dag een totaal nieuwe look.'
'Ben je mal,' zei haar moeder een beetje beledigd. 'Zo erg is het toch ook weer niet met me?'
'Je hebt er wel eens leuker uitgezien,' zei Berber beslist.
'Dat komt wel weer als Boy wat ouder is. Had je ook niet iets gezegd over een of ander kamp?' vroeg haar moeder.
'Wanneer was dat ook alweer?'
'Vanaf de woensdag tot en met de vrijdag, in de een na laatste week voor de herfstvakantie.'
'Dan mis je wel twee keer hockeytraining.'
'So what. Ik mis anders helemaal nooit.'
'Je moet het wel goed met je trainer bespreken, Berber. Arjan is streng als het om het verzuimen van trainingen gaat. Hij wipt je zo de selectie uit, als je niet oppast.'
'Maham, dat heb ik allang gedaan en Arjan vindt het goed. Hij zei hoe meer kampervaring hoe beter. En ook dat hij weer op me rekent met het kampeerweekend volgend voorjaar voor de mini's.'
'Vertel eens, ben je nu helemaal over Kamiel heen?' veranderde haar moeder van onderwerp.
Berber voelde zich kriegel worden. Af en toe had haar moeder behoefte aan een 'goed gesprek' met haar. Soms

vond ze het ook best fijn om met mama te praten, maar vaak ook helemaal niet, zoals nu.
Kamiel was een jongen die ze een jaar geleden op vakantie ontmoet had. Ze hadden drie weken dikke verkering gehad op de camping. Haar eerste echte liefde.
Daarna hadden ze veel gemaild en contact gehad via msn, want hij woonde in Leeuwarden en zij in Amsterdam. Nog een paar keer hadden ze elkaar ontmoet, de laatste keer in de meivakantie. En toen had Kamiel het uitgemaakt. Ze was er kapot van geweest. Wekenlang. Maar dat was nu voorbij.
'Ja,' zei ze kort. 'Allang.'
'Heb je alweer een nieuwe liefde?'
'Moet dat?'
'Nee, natuurlijk niet, maar het kon toch?'
'Er is niemand.' Berber dronk in een teug haar beker leeg en stond op. 'Ik ga naar bed.'
Ze wenste haar moeder welterusten en ging de kamer uit. Op de trap bedacht ze dat ze niet eerlijk was geweest. Er was wel iemand. Djanno was er, maar dat hoefde verder niemand te weten en zeker haar moeder niet. Nog drie nachtjes slapen voordat ze hem weer zou zien.

12

Klaarwakker stond Berber die maandagochtend voor haar klerenkast. Zo meteen had ze de eerste twee uur Nederlands. Wat moest ze aan? Haar zwarte spijkerbroek, die blauwe of die gebleekte. Ze koos voor de laatste. Ze trok hem aan en bekeek zichzelf kritisch in de spiegel. Wat erboven? Haar korte zwarte vestje. Ze deed haar haar in een staart. Of toch beter los. Ze trok het elastiek er weer uit en begon te borstelen.
Wat zou hij mooier vinden? Los of een staart? En zou ze wat make-up op doen? Een beetje mascara en wat lippengloss. Het mocht niet te opvallend. Heel precies streek ze met het borsteltje langs haar wimpers.
Er werd op haar deur geklopt. 'Berber, schiet je op? Het is al kwart over acht.' Dat was de stem van haar vader.
Zo laat al? Snel deed ze wat gloss op haar lippen. Zo moest het maar. Na een laatste blik in de spiegel, propte ze haar boeken in haar tas en stoof naar beneden.

Tegelijk met de bel reed ze het schoolplein op. Ze sjeesde de fietsenkelder in. Ze rende de trappen op naar boven en zag nog net hoe Djanno de deur van zijn lokaal sloot.
O nee hè... Ze had net twee keer 'om acht uur melden' achter de rug. De meeste leraren waren heel streng op het 'te laat briefje'. Vorige week was ze te laat bij mevrouw Engelaan geweest en die was onvermurwbaar. Maar misschien matste Djanno haar nog een keer, alhoewel die ook steeds strenger werd, als het om te laatkomers ging. Op maandagochtend het eerste uur waren er altijd nogal wat

leerlingen die zich na een weekend doorzakken versliepen. Djanno had hen vorige week nog gewaarschuwd. 'Denk erom dat jullie maandag op tijd zijn, want ik laat jullie echt niet meer zonder briefje binnen.'
Ze duwde de klink naar beneden en bleef weifelend in de deuropening staan.
Djanno stond voor de klas met een beker koffie in zijn hand.
'Ik wil ook wel een kop koffie,' mopperde Esmée. 'Waarom leraren wel en wij niet?'
'Moet je ook leraar worden.' Djanno nam een slok van zijn koffie.'
'Ja dahaag. Ikke niet,' zei Esmée.
'Je bent te laat.' Djanno richtte zich naar Berber en keek haar van over zijn koffie aan. 'Heb je een briefje?'
'Nee, eh, ik...'
'Dit is al de tweede keer. Nou ja, vooruit voor deze ene keer dan nog, ga gauw zitten.'
Opgelucht sloot ze de deur achter zich.
'Dat is geluk hebben,' zei Elise.
Berber haalde haar boeken uit haar tas en legde ze voor zich op de bank. Vanuit haar ooghoeken zag ze dat Djanno stond te praten met Anika. Wat hadden die allemaal te bespreken?
De deur ging weer open en nu kwam Robin binnen. Hij liep zonder iets te zeggen naar zijn plaats.
'Je briefje, Robin.' Djanno stak zijn hand uit.
'Heb ik niet.'
'Ga het dan maar even halen.'
'Geen zin.'

'Robin, schiet op.'
'Berber hoefde het ook niet,' riep Ramona.
'Berber was maar een minuut te laat en die liep niet zomaar naar haar plaats. En ik zou graag willen dat je je er niet mee bemoeide, Ramona.'
'Vet oneerlijk,' protesteerde Robin verongelijkt. 'Waarom Berber wel en ik niet?'
Djanno aarzelde. 'Voor deze ene keer dan nog, maar vanaf nu moet iedereen op maandagochtend op tijd zijn. Begrepen?' Hij keek naar de leerlingen die uitgeblust op hun stoelen hingen. 'Tjonge, jonge, wat een in elkaar gezakt suf zootje hier. Zwaar weekend gehad? Vertel eens, wat hebben jullie zoal gedaan?' Djanno ging op de punt van zijn bureau zitten.
Aarzelend kwamen de verhalen. De meesten hadden zaterdag gewerkt en waren daarna 's avonds uitgeweest.
'Tot hoe laat?' wilde Djanno weten.
'Drie uur of zo,' zei Paul.
'Zo laat?' vroeg Djanno verbaasd. 'En de anderen?'
'Twee uur,' zei Anika.
'Een uur.'
Berber zei niets. Uitgaan was er voor haar niet bij. Ze mocht het niet van haar ouders, maar het was ook niet te combineren met tophockey.
Als je in de selectie zit en je wilt verder komen, dan moet je allereerst een topconditie hebben, zei hun trainer altijd. Niet roken, geen alcohol en op tijd naar bed, óók in het weekend.
'Gaan jullie elk weekend uit?' wilde Djanno weten.
'Natuurlijk.' Bennie gaapte. 'Wat moet je anders?'

'Een mooi boek lezen misschien?' grapte Djanno.
'Veel te saai,' zei Bennie. 'Ga jij nooit uit?'
'Eh,' Djanno aarzelde even. 'Jawel, soms. Maarreh, ik ben volwassen en jullie zijn nog in de groei en dan moet je goed slapen.'
'Je lijkt mijn pa wel!' Esmée stak haar tong uit. 'Die zegt dat ook elk weekend.'
'Je vader heeft gelijk.'
'Nou ik vind dat je na een week school best een beetje lol mag maken,' hield Esmée vol.
'Van mij mag je,' gaf Djanno toe, 'als je er dan maar voor zorgt dat je werk voor mij in elk geval in orde is.'
'Maar lezen is zo saai,' zei Bennie nog een keer.
'Vinden de anderen dat ook?' vroeg Djanno. 'Elise?'
'Als het een mooi boek is, vind ik het niet saai,' antwoordde Elise.
Berber zat wat te draaien op haar stoel. Zij vond lezen leuk, maar dat klonk wel heel braaf natuurlijk. En dan dachten de anderen dat ze in een goed blaadje wilde komen te staan.
'Ramona? Houd jij van boeken?'
'Mwaah, niet zo.'
'Jij Berber?' Zijn ogen ontmoetten de hare en ze slikte een keer. 'Jij wel hè, als ik me goed herinner van je leesautobiografie?'
Ze hield even haar adem in en liet die toen weer ontsnappen.' Ja, ik houd wel van lezen.'
'Dat hoor ik graag.' Djanno knikte haar toe. 'Nou kom op, wie nog meer?'
Er gingen een paar vingers de lucht in.

'Maar het moet niet saai zijn. Er moet wel een echt verhaal in zitten,' zei Nikki.
'Ja, dan is het wel leuk, soms,' viel Esmée haar bij.
'Jij houdt zeker alleen van lovestory's,' zei Thomas.
'Wat kan jou dat schelen?' vroeg Esmée kattig.
Djanno liep naar de kast en haalde daar een krat boeken uit. 'Ik heb voor jullie boeken uitgezocht, dames en heren, die jullie kunnen lezen voor je eerste boekbespreking die ook in je leesdossier moet komen.'
Er werd gekreund in de klas.
'Moet dat echt?' vroeg Bastiaan.
'Dat moet echt,' zei Djanno. Hij zette het krat voor zich op tafel en haalde er een boek uit.
'Kijk eens hier, een lovestory voor Esmée!' Hij hield *Rico's vleugels* van Rascha Peper omhoog. 'Maar wel een heel andere "love" dan je waarschijnlijk gewend bent, Esmée.'
Kort vertelde hij waar het boek over ging.
'Bah, over een homo!' liet Oscar zich ontvallen.
'Pardon?' Djanno legde het boek naast zich neer. 'Hoe bedoel je dat precies?'
'Gewoon, ik vind homo's smerig.'
'Waarom, als ik vragen mag?'
Oscar haalde zijn schouders op.
'Ik kan je niet erg respectvol vinden, Oscar.'
'Iedereen moet dat zelf weten,' zei Elise bedachtzaam. 'Toch? Ik ken een jongen die homofiel is en die is vet aardig.'
'Ik zeg toch niet dat ze niet aardig zijn,' wierp Oscar tegen.
'Vind jij homo's aardig? Misschien ben je er dan zelf wel een!' riep Bennie.

'Houd je bek!' schreeuwde Oscar. Hij kwam half overeind. 'Als je je bek niet houdt, dan trim ik je in elkaar.'
'Stop.' Djanno's stem sloeg over. 'We houden erover op. Blijkbaar zijn sommigen van jullie nog zo onvolwassen dat ze een dergelijk onderwerp niet aankunnen.'
Hij pakte het boek weer op. 'Wil je het nog lenen, Esmée?'
Ze knikte. 'Ik vind het niet vies, maar wel een beetje raar.'
'Dat kan,' gaf Djanno toe. 'Aan alles wat anders is, moet je eerst wennen. Maar dat betekent nog niet, dat je geen respect hoeft te hebben.'
Hij pakte een volgend boek. Bijna het hele lesuur was hij aan het vertellen over verschillende boeken en de leerlingen luisterden stil. Het was de eerste keer dat Djanno niet voortdurend om stilte hoefde te vragen.
Berber wenste dat dit uur eindeloos zou duren. Ze genoot van de verhalen, maar meer nog van zijn enthousiasme.
'Oké, jongens,' zei Djanno, toen aan het einde van het eerste lesuur de bel ging. 'Vijf minuutjes pauze. Het volgende lesuur zoeken jullie allemaal een boek uit en ga je rustig zitten lezen. Blijkt dat je het boek niet mooi vindt, dan kun je het voor de koffiepauze nog omruilen.'
Na de korte pauze liet hij de leerlingen per rij naar voren komen. Toen Berber aan de beurt was koos ze *Een hart van steen* van Renate Dorrestein.
'Heb jij ook niet een babyzusje?' vroeg Djanno. 'Daar had je vader het toch over?'
'Een broertje.'
'Laat je niet teveel van de wijs brengen door dit boek hoor, want het is nogal gruwelijk.'
'Ik kan wel wat hebben.' Ze keek hem een moment aan en

sloeg snel haar ogen neer, toen ze zijn blik ontmoette. Wat aardig dat hij zo bezorgd om haar was. Dat was hij toch niet naar de anderen toe, geloofde ze, maar alleen naar haar. Voelde hij dan toch ook iets voor haar, zoals zij voor hem?

13

Naast elkaar hingen Berber en Elise onderuitgezakt op de oude lage bank in de leerlingensoos. Biologie was uitgevallen. Esmée maakte van het tussenuur gebruik om snel even naar huis te fietsen om haar vergeten werkstuk voor ckv op te halen.
Berber gaapte en rekte zich uit. 'Wat ben ik moe.'
'Huilt Boy nog altijd zoveel?'
'Wel minder, maar nog steeds elke nacht wel een keer.'
'Zal ik koffie halen?' vroeg Elise.
'Lekker.'
Toen Elise weg was, sloot Berber haar ogen. Ze was echt moe. Als Boy om zes uur begon te piepen, werd ze wakker en kon daarna dan niet meer in slaap komen.
Mevrouw Engelaan had al een paar keer gezegd dat ze er moe uitzag. Kon ze maar net zo vast slapen als Bloem. Als die eenmaal sliep was ze bijna niet wakker te krijgen.
Ze schrok op van een plof naast zich op de bank.
Het was Esmée. 'Mooi werkstukje hè?' Ze viste een snelhechter uit haar tas en duwde hem onder Berbers neus. 'Helemaal zelf gemaakt, maar niet heus.'
'Heb je hem van internet gepikt?'
'Tuurlijk. Ik ben toch niet gek?'
'Ben je dan niet bang dat Koster het merkt?'
'Die merkt nooit iets en ik heb het natuurlijk wel een beetje veranderd. Mens, zelf zo'n werkstuk maken kost je idioot veel tijd.'
Berber dacht aan de uren die zij had gezwoegd om met iets moois te komen.

'Weet je wie vanavond bij ons op bezoek komt?' veranderde Esmée van onderwerp. 'Djanno.'
Berbers hart sloeg een slag over bij het horen van zijn naam. De afgelopen dagen had ze bijna aan niets anders kunnen denken dan aan hem.
'Djanno?' vroeg Elise, die net met twee bekertjes koffie aan kwam lopen. 'Au, ik brand m'n poten.' Ze zette de bekertjes haastig neer. 'Wat is daarmee?'
'Die komt vanavond bij ons op bezoek. Ik hoorde het net van m'n moeder. Mmm, lekkere koffie.' Esmée pakte het ene bekertje, nam een voorzichtig slokje en zette het snel weer neer.
'Zeg, dat was voor ons,' zei Elise verontwaardigd.
'Dacht ik al, bedankt!' Esmée lachte lief.
'Ik bedoelde voor Berber en mij.'
'En ik dan?'
'Jij was er toch niet?'
'Maar nu wel.'
'Nou ja, dan haal ik nog wel voor mezelf,' zei Elise.
'Je bent een schatje.' Esmée zakte een eindje onderuit.
'Wat komt Djanno bij jullie doen?' vroeg Berber.
'De mentoren van de brugklassen brengen toch altijd een huisbezoek,' vertelde Esmée.
Berber voelde een steekje van jaloezie. Waarom was Bloem geen jaartje ouder? Dan had ze nu ook in de brugklas gezeten, wie weet bij hem.
'Kom je langs?' vroeg Esmée. 'Kunnen we lol hebben.'
'Ik weet niet,' aarzelde Berber. Ze stond in hevige tweestrijd. Ze zou dolgraag gaan, maar het was wel een beetje raar misschien.

'Kom op, doe niet zo flauw, Berber. Volgens mij vind jij hem best leuk.'
'Hoezo?'
'Vertelde Maartje. Op dat brugpieperfeest vrat je hem met je ogen op, zei ze.'
'Pfff, laat ze naar zichzelf kijken, die aanstelster. Zoals zij tegen Djanno deed. Echt stom!' brieste Berber.
'Nou, je hoeft niet meteen zo boos te worden, ik maakte maar een grapje hoor!' zei Esmée een beetje beledigd.
'Stom grapje.'
'Maartje wilde gewoon eens kijken of Djanno een beetje te versieren was, maar ze kreeg geen kans.'
'Nee natuurlijk niet, dan vliegt hij er meteen uit,' zei Elise, die net terugkwam met de koffie en de laatste opmerking van Esmée gehoord had.
'Waaruit?' vroeg Esmée melig.
'De school uit.' Elise lachte.
'Ach joh, wat kan het je schelen. Kom je vanavond ook, Elies? Djanno komt vanavond op huisbezoek. Hoe meer zielen hoe meer vreugd.'
'Ik weet het niet,' zei Elise aarzelend.
'Jij toch wel, hè Berber?' drong Esmée aan.
'Maar wat zal Djanno dan denken?'
'We zeggen tegen hem dat we altijd samen huiswerk maken.'
'Als je ouders dat dan maar niet horen, want dan weten ze meteen dat we staan te liegen.'
'Tuurlijk niet, je fluistert het hem gewoon in zijn oor,' giechelde Esmée.
Elise schoot in de lach. 'Je ouders zouden raar opkijken als

Berber met Djanno gaat staan smiespelen.'
Berber werd knalrood.
Esmée keek haar aan en haar ogen werden groot van verbazing. 'Nee, dat meen je niet! Je valt echt op hem. Ja toch, je valt echt op hem? Ben je echt verliefd? Echt, echt, écht? Op Djanno?' Er klonk ongeloof in haar stem.
Berber werd nog roder.
'Zo leuk is hij toch helemaal niet? Ik heb nog nooit zo hard voor Nederlands moeten werken als dit jaar, met al die dingen die we steeds moeten inleveren. Jasses nog aan toe.' Esmée stak haar tong uit.
'Ik vind dat hij zo mooi kan vertellen,' zei Berber dromerig. 'Zoals toen die ene les over die boeken.'
'Nou ja, dat is maar één les. Denk eens aan al die andere saaie lessen,' zei Esmée.
'Ik vind ze niet saai.'
'Het is wel een leraar, hoor!' deed Elise een duit in het zakje.
'Ja duh, net alsof ik dat nog niet weet.'
'Een relatie tussen leraar en leerling is verboden,' voegde Esmée eraan toe.
'Hè nee, meen je dat nou?'
'Joh Esmée, laat maar. Het waait vanzelf wel over,' zei Elise.
Berber draaide zich furieus naar Elise. 'Wat weet jij daarvan?'
'Ja Elise, daar weet je niks van. Roman kent een meisje dat na haar examen met haar geschiedenisleraar is getrouwd. Ze hebben gewoon gewacht. Romantisch hè?'
'Ja, maar dat is een uitzondering.'

‘Als je hem leuk vindt, moet je vanavond zeker komen,’ zei Esmée beslist. ‘Kan ik jullie misschien wel koppelen.’ Ze lachte.
Berber pakte haar bekertje koffie en vouwde haar handen eromheen.
‘Het zou me trouwens niks verbazen als hij homo is,’ zei Elise bedachtzaam. ‘Zoals hij laatst op Bennie reageerde.’
‘Denk je?’ vroeg Esmée met een uithaal.
‘Zou kunnen.’ Elise roerde in haar koffie.
Berber bracht het bekertje naar haar mond, nam een grote slok van haar koffie en brandde haar mond. De tranen sprongen haar in de ogen.
‘Niet huilen.’ Esmée sloeg haar arm aan de ene kant om Berbers schouders en Elise aan de andere kant. ‘Misschien is hij wel gewoon hetero.’
‘Ik huil helemaal niet, ik brand mijn mond.’ Maar toen rolden de tranen toch. ‘Het heeft niets met Djanno te maken. Helemaal niets,’ snufte ze.
‘Natuurlijk niet,’ suste Esmée.
‘Mijn trainer wil me met kerst uit de selectie halen, omdat ik er niets meer van bak,’ hikte Berber.
‘Joh, dat meen je niet,’ zei Elise geschrokken. ‘En je was altijd zo goed.’
‘Nu niet meer. Ik ben gewoon steeds zo moe.’
‘Dat kun je toch uitleggen?’ meende Esmée.
‘Heb ik ook gedaan, maar Arjan zei dat hij daar niet voortdurend rekening mee kon houden.’
‘Wat stom,’ stoof Esmée op.
‘Nou ja, ik snap wel dat zo’n trainer alleen toppers in zijn selectie wil,’ zei Elise vergoelijkend.

‘Berber is een topper,’ zei Esmée.
‘Ja, maar nu even niet dus,’ zei Elise.
Berber pakte een papieren zakdoekje uit haar tas en snoot haar neus.
‘Mama is zelf ook kapot. Laatst is mijn vader midden in de nacht met Boy in de auto gaan rijden. Toen hij thuiskwam sliep Boy, maar zodra papa hem in bed legde, begon ie weer te krijsen.’
‘Ik ken iemand die ook een baby had die heel veel huilde en toen dat kindje drie maanden was, was het ineens over,’ vertelde Esmée.
‘Boy is al drie maanden geweest.’
‘Nou ja, dan misschien met vier of vijf maanden. In elk geval, het kan zomaar van de ene op de andere dag over zijn.’
‘Ondertussen zit ik er maar mooi mee.’ Berber rolde haar zakdoekje tot een prop en veegde er voorzichtig mee langs haar ogen. ‘Ben ik doorgelopen?’
‘Beetje, wacht maar.’ Esmée pakte ook een zakdoekje en veegde met een puntje voorzichtig langs Berbers ogen. ‘Klaar.’
‘De bel is allang gegaan. Schiet op.’ Elise sprong overeind.
‘Die van ckv laat ons toch wel zonder briefje binnen,’ meende Esmée zorgeloos, ‘zeker als we netjes onze excuses aanbieden en meteen ons werkstuk geven.’
Met zijn drieën stoven ze de soos uit, de trap op naar boven.

Berber voelde een duwtje tegen haar schouder. Ze keek even naar de leraar voor de klas voordat ze zich omdraai-

de. Het was net goed gegaan. Ze hadden zonder briefje binnen mogen komen, maar nu moest ze uitkijken anders vloog ze er zo meteen alsnog uit.
Esmée duwde haar een briefje in de hand.
Ze vouwde het open en las het. *Kom je nou nog vanavond? Doorgeven aan Elies.*
Ze knikte en legde het briefje voor Elise neer. Die las het ook en schudde vervolgens haar hoofd.

14

'O, ben jij het?' Chantal had op haar bellen opengedaan en keek verbaasd. 'Wat kom jij doen?'
'Ze komt huiswerk maken. Mag het?' Esmée kwam de trap af.
Chantal stak haar tong uit. 'Lekker toevallig, zeg. Welk vak dan? Nederlands zeker.'
'Gaat jou niks aan!' zei Esmée.
'Ik weet heus wel waarom je komt. Wie komen er nog meer?'
'Doe niet zo irritant, kleuter,' schold Esmée.
'Moet jij nodig zeggen.'
Berber kreeg het opeens benauwd. Het was stom om hier te komen. Chantal had het door. Die smoes van samen leren was ook veel te doorzichtig. Djanno wist natuurlijk niet dat ze anders nooit samen huiswerk maakten, maar Chantal en de ouders van Esmée wisten dat wel.
Straks kletste Chantal het nog door aan de meiden van haar klas. Om je helemaal kapot te schamen. Ze moest hier zo snel mogelijk weg.
'Denk maar niet dat Djanno iets ziet in die stomme brugkippies, hoor,' zei Esmée.
'Denk jij maar niet dat Djanno iets ziet in zo'n lelijke kip als jij,' kaatste Chantal terug. 'Misschien wel iets in Berber, hoor,' voegde ze eraan toe. 'Die ziet er tenminste leuk uit.'
'Kreng,' bitste Esmée.
'Van hetzelfde,' gaf Chantal terug.
Berber zoog de binnenkant van haar linkerwang een stukje naar binnen.

'Ga je mee naar boven?' vroeg Esmée.
'Tok, tok,' kakelde Chantal. 'De oude kip gaat naar haar hok.'
'Trut,' schreeuwde Esmée. 'Houd je kop.'
Op Esmées kamer plofte Berber op het bed.
'Chantal gedraagt zich de laatste tijd zo stomvervelend,' mopperde Esmée. 'Een echt pubertje.'
'Gaan jullie altijd zo met elkaar om?' vroeg Berber.
Esmée knikte. 'Dat kind kan nooit eens normaal doen.'
'Ik heb nooit ruzie met Bloem eigenlijk.'
'Bloem is ook zo'n schatje,' verzuchtte Esmée. 'Die had ik ook wel als zusje gehad willen hebben.'
'Moeten we maar ruilen van zusje,' maakte Berber een grapje. 'Maarreh... Boy zit bij de ruil in.'
Ze lachten.
'Hé, wat een gave oorbellen. Nieuw?' Berber stond op en liep naar Esmées bureau. Ze pakte ze op en ging ermee voor de spiegel staan. 'Waar heb je die vandaan?'
'Bij Six, je weet wel, die grote sieradenwinkel in de stad.'
'Esmée,' Berber legde de oorbellen terug, 'ik denk dat ik weer naar huis ga. Als Chantal op school gaat kletsen...'
'Joh, wat maakt dat uit?'
'Dan denkt straks iedereen dat ik achter Djanno aan loop.'
'Laat ze denken.'
'Straks hoort Djanno het.'
'So what? Mens maak je niet zo druk. Je komt hier huiswerk maken, punt uit.'
'Maar anders nooit.'
'Een keer moet de eerste zijn,' meende Esmée laconiek. 'En trouwens, daar is hij al,' zei ze, toen de bel ging.

Berber liet zich weer op het bed zakken. Haar hart klopte ineens in haar keel.
Ze haalde haar wiskundeboek uit haar tas.
Esmée proestte het uit. 'Gek, ga je echt wiskunde doen?'
Berber klapte het boek weer dicht.
'Je bent echt zenuwachtig, hè?' vroeg Esmée. 'Eigenlijk zouden we erachter moeten komen of hij homo is of niet.'
'Maar hoe?' peinsde Berber.
'We kunnen hem volgen of uithoren?'
'Hoe had je je dat voorgesteld?' wilde Berber weten.
'Weet ik het.' Esmée haalde haar schouders op.
'Volgens mij is hij toch geen homo,' zei Berber. 'Hij lijkt helemaal niet op een homo. Vind je wel?'
'Nee, maar hij werd wel heel boos om die opmerking van Bennie.'
'Dat zegt toch niets,' meende Berber. 'Mijn moeder wordt ook altijd woest als wij iets onaardigs over homo's zeggen. Die zegt dan, dat je ieder mens moet respecteren ongeacht zijn seksuele geaardheid.' De laatste twee woorden sprak ze overdreven duidelijk uit.
Ze lachten.
'Denk jij dat hij me aardig vindt?' vroeg Berber.
Esmée knikte. 'Als het om jou gaat, heeft hij altijd zo'n blik in zijn ogen.'
'Wat voor blik?'
'Zo van: wat is dat schatje toch goed in Nederlands.'
'Komisch hoor.' Berber stopte haar boek weer in haar tas.
'Hoe gaat het eigenlijk met jou en Roman?' wilde ze weten.
'Gaat wel.' Esmées stem klonk opeens een beetje mat.

‘Niet zo goed dus,’ constateerde Berber.
Esmée schudde haar hoofd. ‘Roman wil dingen die ik niet wil en nu dreigt hij het uit te maken.’
‘Dat meen je niet.’
‘Ja.’
‘Wat een el uu el.’
‘Nee, dat is niet zo. Hij is een echte lieverd.’
‘Lekkere lieverd.’
‘Nee, echt.’
‘Ik vind het belachelijk dat een jongen het uitmaakt als zijn vriendin niet met hem naar bed wil.’
‘Ik houd van Roman, maar…’
‘Je moet het uitmaken, echt.’
‘Nee, dat wil ik niet. Misschien moet ik het gewoon maar doen,’ zei Esmée nadenkend.
‘Je bent gek,’ zei Berber fel. ‘Knetter-, knetter- en knettergek. Je gaat toch niet tegen je zin met een jongen naar bed!’
Er klonken voetstappen op de trap en Chantals stem drong tot hen door. ‘Hier is mijn kamer.’
‘Ze laat hem haar kamer zien,’ siste Esmée. ‘Wat een baby.’
Ze luisterden naar de stemmen op de gang.
Opeens werd de deur van Esmées kamer opengegooid. ‘Dit is de kamer van mijn zus.’ Chantals stem klonk poeslief.
Esmée wierp haar een woedende blik toe, maar Chantal deed alsof ze er niets van merkte.
‘Zo dames,’ zei Djanno. Hij keek hen kort aan en kuchte even.
‘We maken samen huiswerk,’ antwoordde Esmée snel.
‘Voor de eerste keer,’ vulde Chantal pesterig aan.

'Heel goed,' zei Djanno. Hij kuchte weer.
Berber zag dat hij een kleur kreeg. Hij voelde zich natuurlijk opgelaten of zou het door haar komen?
'Zo, nu wordt het tijd om het een en ander met je ouders te bespreken,' zei hij tegen Chantal. 'Succes met het huiswerk verder.' Hij ging de kamer uit, gevolgd door Chantal die nog snel een keer haar tong uitstak naar Esmée voordat ze deur achter zich dichttrok.
Berber en Esmée keken elkaar aan en begonnen te giechelen.
'Die rotmeid, ik zal haar wel krijgen.'
'Niet doen,' smeekte Berber. 'Straks neemt ze wraak.'
'Hij keek wel naar jou,' zei Esmée.
'Ja hallo, hij keek nauwelijks en dan ook nog naar ons samen.'
'Meer naar jou,' hield Esmée vol, 'en hij werd rood, zag je dat? Volgens mij schrok hij zich dood toen hij jou zag.'
'Echt?'
'Volgens mij wel. Volgens mij is het wederzijds.'
'Ik geloof er niets van.' Berber leunde achterover met haar hoofd tegen de muur. Stel je voor dat het waar was. Dat hij ook iets in haar zag. Stel je toch eens voor...

15

Berber was net de straat uitgefietst op weg naar huis, toen ze ingehaald werd door Djanno.
'Tot morgen,' riep hij in het voorbijgaan.
Berber beet op haar lip. Waarom fietste hij nou niet een eindje met haar mee? Ze keek hem na en zag dat hij rechtsaf sloeg.
Ze wilde hem zien, zijn stem horen, maar ze had pas morgen weer les van hem. Dat duurde nog twaalf uur.
Ze zou hem achterna kunnen fietsen, gewoon om te kijken waar hij naartoe ging. Om hem iets te vragen over haar huiswerk voor Nederlands.
Ze zette haar fiets in een hogere versnelling en maakte vaart. Pff, hij fietste wel hard. In de verte sprong net het stoplicht op rood en hij moest stoppen. Ze was hem op zo'n tien meter genaderd, toen het stoplicht weer op groen sprong. Ze aarzelde even en ging toen naast hem fietsen.
'Hé Berber.' Djanno keek haar verbaasd van opzij aan.
Ze voelde dat ze rood werd. 'Ik eh, ik wilde nog iets vragen over het huiswerk van morgen.'
'Vraag maar,' zei Djanno een beetje kortaf.
Berber slikte. Waarom deed hij zo onaardig?
'Ik eh, ik wilde weten of we een cijfer krijgen voor de huiswerkopdracht.'
'Dat merk je morgen wel, Berber,' antwoordde Djanno.
'O.' Berber wist niet wat ze nu moest zeggen of doen.
De stilte hing zwaar tussen hen in.
'Woon je ook deze kant op?' vroeg Djanno ineens.
'Zo'n beetje.'

Djanno schoot ineens in de lach. 'Die huiswerkvraag was zeker een excuus om een praatje aan te knopen?'
Berber kreeg het gevoel of ze de hele dag met haar gezicht in de brandende zon had gezeten.
'Heb je je boek al uit?' vroeg hij toen.
'Welk boek?' vroeg ze verward.
'Dat je bij Nederlands hebt geleend.'
'Ik ben op de helft.'
'Welk boek had je ook al weer?' wilde Djanno weten.
'*Een hart van steen.*'
'O ja. En?'
'Mooi, maar vooral ook heel erg. Wat is er eigenlijk met die moeder aan de hand?'
'Dat lees je nog wel. Kun je er wel tegen?'
'Jawel. Hoezo?'
'Een vriendin van mij werd er helemaal beroerd van.'
Een vriendin. Hij had een vriendin. Het was alsof ze een enorme stomp in haar maag kreeg.
'En een andere vriendin kon het niet eens uitlezen,' ging Djanno verder. 'Het is een typisch Dorresteinboek. Altijd de meest bizarre en soms gruwelijke situaties.'
Berber zuchtte diep en onhoorbaar. Een vriendin en nog een andere vriendin, maar dus niet *zijn* vriendin. Zou hij een vriendin hebben? Of een vriend? De vraag brandde haar op de lippen, maar ze zou hem nooit durven stellen.
Opnieuw was er die ongemakkelijke stilte tussen hen. Kon ze dan helemaal niets bedenken?
'Ga je, ga je morgen weer zo'n boekenles geven?' vroeg ze met de moed der wanhoop, toen de stilte in haar oren begon te suizen.

'Boekenles?'
'Dat je over allerlei boeken vertelt.'
'Vond je dat leuk?'
Ze knikte. 'Iedereen in de klas.'
'Wie weet doe ik dat nog wel weer een keer.'
Hij sloeg linksaf. 'In deze straat woon ik.' Na een dertig meter stopte hij. 'Hier is het.'
Berber keek naar het huis. Het was een oud huis en bij de voordeur zaten drie bellen. Nummer 33a, 33b en 33c.
'Nou, tot morgen, Berber.' Hij ging met zijn fiets de stoep op.
Berber zette haar rechtervoet op de stoeprand en keek hoe hij zijn fiets op slot zette. Het was een ouderwetse zwarte herenfiets van het merk Gazelle.
Djanno stak de sleutel in het slot van de voordeur. Hij stak zijn hand nog even naar haar op, voordat hij naar binnen ging en de deur achter zich sloot.
Berber fietste werktuigelijk verder. Hij zag niets in haar. Helemaal niets, anders had hij vast en zeker nog wel even langer met haar gepraat. Maar nu… hij had niet geweten hoe snel hij naar binnen moest gaan.

16

'Berber, het gaat nog steeds niet veel beter.' Arjan leunde op zijn hockeystick en keek haar peinzend aan. 'Slaap je nog steeds zo slecht?'
'Nee, niet meer. Ik weet niet goed waardoor het komt.'
'Heb je er niet zoveel zin meer in?'
'Jawel, maar, ja, ik weet eigenlijk niet.'
'Ik vrees echt dat ik je in een lager team moet plaatsen. Daar speelt sinds de zomer een meisje dat erg goed is.'
Berber liet haar hockeystick zachtjes heen en weer slingeren. 'Beter dan ik.'
Arjan knikte. 'Op dit moment in elk geval wel.'
'En dan komt zij in mijn plaats in de selectie.' Het was meer een constatering dan een vraag.
'Ja.' Arjan raakte even haar schouder aan. 'Ik vind het heel jammer. Je was altijd sterk in de aanval.'
Berber hield haar stick stil.
'Je ziet het wel eens vaker bij meisjes in de puberteit. Ze krijgen het druk op school en met andere dingen. Ze worden verliefd en dan ja, dan komt de sport opeens niet meer op de eerste plaats.' Arjan zuchtte. 'Jammer, jammer, want je bent en blijft een talent.'
Berber kneep zo hard in het handvat van haar stick dat haar knokkels wit werden. Arjan had de spijker op zijn kop geslagen. Hockey had jarenlang een heel belangrijke plaats in haar leven ingenomen, maar dat was nu niet meer zo. Djanno stond sinds kort met stip op nummer één.
'Misschien dat je je herstelt en dan zou je na de zomer weer in de selectie kunnen spelen,' ging Arjan verder.

'Maar eerst zei je dat je pas met kerst de beslissing zou nemen,' stribbelde Berber tegen, maar ze wist dat het een verloren zaak was.
'Dat was ook de bedoeling, Berber, maar dat andere meisje is zo goed, dat ik die toch echt in dit team wil hebben. Je weet zelf ook dat we de laatste wedstrijden niet echt heel fantastisch hebben gespeeld. We bungelen helemaal onderaan in de competitie.'
'Je doet toch wat je zelf wilt,' zei Berber een beetje boos. Ze voelde het warm worden achter haar ogen.
'Dat klopt,' zei Arjan rustig. 'Maar je kunt niet zeggen dat ik je niet gewaarschuwd heb. Ik heb met je gepraat, je extra aandacht gegeven, maar het zit er gewoon niet in, nu even niet tenminste.'
Berber probeerde haar tranen binnen te houden.
'Kom op, het is niet het einde van de wereld, meid. En wie weet, word je na de zomer gewoon weer geplaatst.'
Berber draaide zich om. 'Dag,' zei ze gesmoord en daarna ging ze op een holletje naar haar fiets.
Verblind door tranen prutste ze haar fietssleuteltje in het slot. Niet meer in de selectie. Ze had er drie jaar in gezeten. Gedegradeerd was ze. Wat een afgang. Ze veegde met haar hand langs haar ogen en snufte een paar keer. Ze ademde diep om de nieuwe tranen tegen te houden.

'Goed gespeeld dit weekend?' Het was maandagmorgen en Djanno stond zoals altijd in de deuropening om alle leerlingen een voor een te begroeten. Berber slikte een keer.
'Verloren.' Het woord kwam als een schorre piep uit haar keel, alsof het zich langs een verdikking moest wringen.

'Jammer. Vorige keer ook al hè?'
Opeens sprongen de tranen haar in de ogen.
'Wat is dat nu?' Djanno trok haar mee de gang op. 'Gaan jullie maar naar binnen, ik kom zo,' zei hij tegen de andere leerlingen. Hij deed de deur na de laatste leerling dicht. 'Vertel.'
Berber probeerde uit alle macht de rest van haar tranen binnen te houden. 'Ik moet uit de selectie,' zei ze schor. En toen kwamen de tranen toch. Ze rolden onophoudelijk uit haar ogen.
Djanno sloeg een moment zijn arm om haar schouder, maar trok hem even snel weer terug, alsof hij er zelf van schrok. Hij deed een stap bij haar vandaan. 'Wat jammer. Hoe kan dat gebeuren?'
'Mijn trainer vindt dat ik niet goed genoeg speel. Eerst kwam dat omdat ik niet goed sliep door mijn broertje, maar nu slaap ik wel weer goed, maar, maar… mijn trainer ziet geen verbetering in mijn spel.'
Berber haalde een keer diep adem en slikte de rest van haar tranen weg.
'Tja, dat kan,' zei Djanno peinzend. 'Dat zie je bij tennis soms ook. Je weet toch dat ik tennistrainer ben, hè?'
Berber knikte. 'Ja.'
'Dan zijn kinderen steengoed en opeens in de puberteit wordt het minder, net alsof ze er niet meer zoveel zin in hebben.'
'Dat zei mijn trainer ook al, maar ik heb nog wel zin en ik vind hockey hartstikke leuk.'
'Misschien moet je het een poosje de tijd geven. Ga nu eerst maar wat water drinken.'

In het toilet plensde Berber een paar handjes water tegen haar gezicht. Ze keek in de spiegel. Haar ogen waren rood en haar mascara was uitgelopen. Ze schaamde zich dat ze zich zo had laten gaan.
Ze pakte een stukje toiletpapier en maakte dat een beetje nat. Daarna veegde ze er voorzichtig mee langs de zwarte vegen onder haar ogen.
De deur van de toiletruimte ging open en Elise kwam binnen. 'Gaat het?'
Berber knikte.
'Djanno stuurde me om even te kijken hoe het nu met je gaat.'
'Het gaat wel weer, maar toen hij zo vroeg naar mijn hockey en zo...'
'Ja, het is vet balen dat je uit de selectie moet,' zei Elise begripvol. 'Ik was echt stomverbaasd toen je het me gisteren op MSN vertelde.'
Berber voelde alweer nieuwe tranen komen. 'Niet meer over praten nu,' zei ze smekend. 'Dan begin ik weer.'
'Wat zei Djanno allemaal?' wilde Elise weten.
Berber haalde haar schouders op. 'Hij zei dat het wel vaker voorkwam.'
'Daar heb je wat aan,' smaalde Elise.
'Best wel,' verdedigde Berber hem.
'Blijven jullie hier wonen of zo?' De deur werd opengegooid en Esmée kwam binnen. 'Of de dames weer in de klas willen komen, laat Djanno vragen. Hij gaat iets moeilijks uitleggen.'
Berber wierp nog een laatste blik in de spiegel.
'Ja, je ziet er mooi uit voor je schatje,' plaagde Esmée.

'Schiet nu maar op.'
Met lood in haar benen liep Berber terug naar het lokaal. Ze voelde zich opgelaten. Hoe zou hij naar haar kijken? Wat zou hij zeggen?
Maar toen ze de deur van het lokaal openduwden, was Djanno druk bezig om aantekeningen op het bord te schrijven en hij keurde de drie meisjes die binnenkwamen geen blik waardig.

17

Lusteloos hing Berber die zaterdagmiddag op haar kamer rond. Ze moest nodig de troep eens opruimen, maar ze had geen zin.
Het bericht van de degradatie was alweer een week oud. Ze had inmiddels kennisgemaakt met haar nieuwe team. Een aantal meiden kende ze nog wel van vroeger. Het was een echt kletsteam, had ze al snel gemerkt. Ze zaten meer voor de gezelligheid op hockey, dan voor de sport.
Met haar arm veegde Berber de papieren en schriften op haar bureau aan de kant. Zo vond ze er niets meer aan. Het ging haar om de sport. Om het spelen, de techniek en de competitie.
Haar moeder was verontwaardigd geweest, maar haar vader was er laconiek onder gebleven.
Jammer, had hij gezegd, maar het is niet anders.
Belachelijk, had haar moeder geroepen, je bent getalenteerd genoeg. Je moet beter je best doen. Als je de drive maar had, dan was dit nooit gebeurd.
De tranen waren Berber in de ogen gesprongen. Ze was een echte huilebalk de laatste tijd.
En toen hadden haar ouders ruzie gekregen om haar.
Berber wreef met haar handen over haar gezicht en bleef toen met haar gezicht in haar handen zitten. Ze had er een hekel aan als papa en mama ruzie maakten en helemaal als het om haar ging.
Ze hoorde Boy huilen en ze stopte haar vingers in haar oren. Heel ver weg hoorde ze voetstappen op de trap. Dat was papa of mama natuurlijk, om Boy te troosten.

Voorzichtig ontspande ze de vingers in haar oren een beetje. Ze hoorde niets meer. Boy was al weer stil. Het ging de laatste tijd steeds beter. Hij huilde nog wel, maar niet meer zo vaak en vooral ook niet meer zo lang.
Haar gedachten kwamen weer bij het hockey terecht. Arjan had gezegd dat ze misschien later weer in de selectie terugkwam, maar dat kon ze met dit team wel vergeten. Die zagen haar als een uitsloofster. Op de laatste training had ze hen wel zien kijken en fluisteren. Misschien moest ze dan maar helemaal van hockey gaan. Ging ze tennissen, net als Djanno.
Wat had ze goed met hem gepraat, toen. Kon ze nog maar een keer met hem praten. Dat had echt geholpen. Vooral die arm om haar schouder. Hij vond haar toch wel aardig. Maar meteen daarop twijfelde ze weer. Hij deed soms zo kort tegen haar, op het onaardige af.
Zou ze gaan kijken of hij thuis was? Ze kreeg acuut pijn in haar buik. Hij zou dan natuurlijk wel door hebben dat ze hem aardig vond. Nou en, zei een stem in haar hoofd. Dat vind je toch ook?

Toen ze zijn straat inreed, zag ze hem net met een doos vol boodschappen uit een auto stappen. Het was een zwarte Golf. Ze keek naar het nummerbord en prentte het nummer in. Ze wilde alles van hem weten.
Hij liep naar de voordeur, zette de doos neer, haalde de sleutel uit zijn zak en stak hem in het slot. Hij pakte de doos weer op en ging naar binnen. De deur bleef op een kier staan. Berber staarde er gebiologeerd naar. Ze kon zomaar naar binnen gaan. Zou ze dat durven?

Ze stapte van haar fiets en liep met de fiets aan de hand naar zijn deur. Daar bleef ze staan. Aarzelend. Zou ze het doen? Esmée zou het durven, schoot het door haar heen. Elise daarentegen zou zoiets nooit doen! En zij? Een paar maanden geleden zou ze iemand die haar dat vroeg uitgelachen hebben. Nee, natuurlijk zou ze dat nooit doen. Omdat ze het niet durfde? Meer omdat het niet zo hoorde. Je sloop geen huizen van anderen binnen. Of ze zoiets zou durven, daarover had ze nog nooit nagedacht.
In tijden van liefde is alles geoorloofd. Dat had ze een tijdje geleden een keer gelezen. Zou ze dan toch?
Ze zette haar fiets tegen die van Djanno, de ouderwetse zwarte Gazelle. Ze streek over zijn zadel, voordat ze haar fiets op slot zette.
Daarna duwde ze de deur een eindje open en keek naar binnen. Een verveloze gang met aan het eind een trap met een versleten loper erop. Ze liet de deur op een kier staan. Met bibbers in haar hele lijf zette ze haar voet op de eerste trede en daarna haar andere op de tweede. Als in trance tilde ze steeds haar voeten op tot ze boven was. Daar bleef ze staan op een vierkante overloop met vier deuren. Een deur stond halfopen. Dat was de keuken, waar Djanno bezig was de boodschappen uit te pakken.
Opeens vloog een panische angst Berber naar de keel. Waar was ze mee bezig? Wat een idioot plan om hier naar binnen te sluipen.
Ze draaide zich om en sloop zo snel ze kon de trap weer af. Net toen ze de deur verder open wilde trekken, kwam er iemand van buiten naar binnen. De deur kwam met een klap tegen haar gezicht.

Een paar seconden werd het zwart voor haar ogen en zag ze sterretjes. Ze voelde met haar hand aan haar gezicht. Warm en nat.
'Sorry, sorry.' Tegenover haar stond een jongen van een jaar of twintig. 'Je bloedt! Kom even mee naar boven, voor een nat lapje.'
'Hoeft niet.'
'Jawel,' zei de jongen vastbesloten. 'Anders heb je straks zo'n neus.' Hij duidde met zijn handen de grootte van een meloen aan. 'Ik studeer medicijnen, dus ik kan het weten.'
Berber voelde het bloed uit haar neus druppen.
'Kom.' De jongeman pakte haar bij de hand en trok haar mee naar boven. 'Ik ben Paul en jij?' Hij duwde haar de keuken in en hield een theedoek onder de kraan.
'Wat doe jij hier?' Djanno staarde haar verbaasd aan.
'Ze wilde net de voordeur uitgaan toen ik binnenkwam.' Paul duwde de natte doek tegen haar neus. 'En toen raakte de deur haar neus.'
'Ik begrijp er niets van. Was je hier dan al geweest?'
Berber duwde haar neus dieper in de natte theedoek.
'Jullie redden het wel zonder mij, hè?' Paul keek vragend naar Djanno.
Die knikte kort.
Berber hoorde hoe de keukendeur dichtgetrokken werd. Had Elise dan toch gelijk en was die Paul Djanno's vriend?
'Iets drinken voor de schrik?'
Berber keek verrast op. 'Graag.'
Ze zag hoe Djanno een pak jus openmaakte en een glas volschonk. 'Kom maar even mee naar mijn kamer.'
Ze liep achter Djanno aan en hield de doek angstvallig

tegen haar neus gedrukt. Wat haar het eerste opviel toen ze binnenkwam, was een enorme kastenwand die van boven naar beneden gevuld was met boeken die kaarsrecht in het gelid stonden.
'Wat veel boeken!' riep ze uit.
'M'n boeken, m'n vrienden.' Hij gleed met zijn hand over een paar ruggen en zette een paar wat rechter neer.
Berber dacht aan haar eigen boekenkastje waar haar boeken altijd kriskras door elkaar in lagen en stonden. Ze nam zich direct voor om straks haar boekenkast maar eens op te ruimen.
'Heb je ze allemaal gelezen?' vroeg ze.
'Bijna allemaal. Alleen deze plank nog niet.' Hij wees op een plank onder in de linkerkast. 'Ik koop sneller dan ik lezen kan en nu helemaal, met al die correctie voor school.'
Berber liep naar de kast toe. Als je toch zoveel gelezen had! Dat wilde zij ook. De boeken stonden keurig in alfabetische volgorde gerangschikt. Ze bekeek de titels op de ruggen en het duizelde haar.
Om zich een houding te geven haalde ze een boek uit de kast en bladerde erin.
'Wat kwam je doen, Berber?'
'Ik wil stoppen met hockey.'
'Daar heb je mij toch niet voor nodig?'
'Ik, ik wilde weten wat je daarvan vindt.'
'Zonder meer jammer en ook wel een beetje slap aangedraaid. Je loopt toch niet bij de eerste de beste tegenslag weg?'
'Maar ik vind mijn nieuwe team stom.'

‘Als je goed je best doet en hard traint, kom je misschien na de zomer wel weer in het selectieteam.’
‘Dat zei mijn trainer ook al,’ zei Berber hees.
‘Zie je nou wel.’ Djanno kuchte een keer.
Ze zette het boek terug in de kast.
‘Daar hoort het niet.’ Djanno pakte het boek. ‘Al mijn boeken hebben hun vaste plek in de kast. Zo houd ik het netjes en overzichtelijk.’
Berber veegde met de theedoek langs haar ogen. Zou ze zeggen dat ze hem aardig vond? Zou ze dat durven?
‘Berber, ik heb zo meteen een afspraak.’
Ze zei niets. Met wie had hij afgesproken? Zijn vriendin?
Toen deed ze iets waarvan ze nooit had kunnen dromen dat ze dat ooit zou durven. Ze deed een paar stappen naar hem toe en bleef staan. Haar ogen hechtten zich aan de zijne en ze voelde zich als gehypnotiseerd. Ze was niet in staat iets anders te doen dan te staan en hem aan te kijken.
‘Kijk niet zo.’ Hij deed een stap naar haar toe, en nog een, en nog een.
Nu stonden ze tegenover elkaar. Nog nooit had Berber zijn ogen van zo dichtbij gezien. Zijn mond, zijn lippen... Toen sloeg ze haar armen om zijn nek en zoende hem.

18

Berber had geen idee hoe lang de kus geduurd had, voordat Djanno de betovering verbrak.
'Berber, nee!' Djanno pakte haar bij haar bovenarmen en duwde haar een stukje terug. 'Dit kan niet.'
'Ik praat er met niemand over.' Berber beet op haar lip.
'Het mag gewoon niet. Ik vind je heel lief, maar je bent een leerling.'
'Zou je anders wel...?' Berber maakte haar vraag niet af.
'Misschien, ik weet het niet.'
'Ben je...? Is Paul je vriend?'
'Een vriend.'
'O.' Berber voelde de opluchting door zich heen stromen. Ze deed weer een stap naar hem toe en keek hem aan. 'We kunnen toch stiekem...'
Djanno pakte een lok van haar haar en streek er met zijn hand langs. 'Dit is mijn eerste baan en dan meteen al dit. Als de rector het ontdekt, vlieg ik eruit en kom ik nooit meer aan de bak.'
'Dan ga je toch promoveren, zoals je de eerste les vertelde.'
Er gleed een lachje over Djanno's gezicht. 'Ik merk dat je mijn carrière al hebt uitgestippeld.'
Berber keek hem aan.
'Kijk niet zo.' Hij gleed traag met zijn hand door haar haar naar haar nek. Daar liet hij zijn hand liggen.
Berber voelde een huivering vanuit haar nek naar beneden glijden.
'Je bent een liefje, maar het mag niet.' Zijn mond streelde over haar voorhoofd en haar wangen om te eindigen bij

haar mond. Ze voelde zijn warmte. Zijn kus werd heftiger en hij klemde haar tegen zich aan.
'Verboden vruchten...' mompelde hij.
'Wat is daarmee?' vroeg Berber.
'Verboden vruchten smaken het zoetst.' Zijn handen streelden zacht haar hals en gleden aarzelend naar haar borsten.
Berbers adem stokte even. Toen duwde ze haar lichaam nog dichter tegen het zijne. Het was lekker hem zo te voelen en hij vond het ook prettig, dat merkte ze best.
Toen waren zijn handen ineens op haar schouders en weer duwde hij haar een stukje terug. 'We mogen, ik mag dit niet doen. Dit was de eerste en de laatste keer, Berber. Het kan niet.'
'Niemand komt het te weten. Echt helemaal niemand.'
'Zoiets lekt altijd uit.'
'Nee, echt niet. Ik praat er met niemand over, ook niet met mijn vriendinnen.'
'Alsjeblieft niet,' zei Djanno, 'dan kunnen we het net zo goed meteen op het mededelingenbord laten zetten.'
'Ik...' begon Berber.
'Het kan niet.' Djanno liep van haar weg en ging met zijn rug naar haar toe voor het raam staan. 'Je bent nog te jong. Vijftien, zestien... een kind.'
'Zestien.'
'Acht jaar jonger dan ik.'
'En als ik ouder was?'
'Je bent niet ouder.'
'Maar als,' hield ze vol.
'Als je geen leerling van me was, zou het anders zijn,' zei

hij. Maar nu... je moet iemand van je eigen leeftijd kiezen.'
'Die wil ik niet. Ik wil jou.' Berber deed een paar stappen naar hem toe. Ze sloeg haar armen om hem heen en legde haar hoofd tegen zijn rug.
'Ik wil dat je weggaat, Berber, echt, ik meen het.' Hij maakte haar handen, die ze om zijn middel geslagen had, los en draaide zich naar haar toe. 'Kijk niet zo treurig. Dit is niet het einde van de wereld.'
'Voor mij wel,' zei Berber dof. Ze draaide zich om en liep naar de deur.
'Wat ga je doen, waar ga je naartoe?'
'Naar huis,' antwoordde Berber zonder zich om te draaien. 'Wat dacht je anders? M'n hart uitstorten bij Elise of Esmée. Echt niet.'
'Het spijt me,' zei Djanno. 'Maar je begrijpt het toch wel?'
'Ik begrijp het.' Haar stem was niet meer dan een fluistering. 'Natuurlijk begrijp ik het, maar...' Ze bleef een moment bij de deur staan. 'Nou ja, tot ziens.' Ze drukte de klink naar beneden, rukte de deur open en holde naar beneden.

19

Rusteloos draaide Berber zich van haar ene zij op haar andere. Wat had ze gedaan? Hoe had ze hem kunnen zoenen? Het was in een opwelling gebeurd. Zomaar, pats boem.
Dit was al de tweede slapeloze nacht na die zaterdag. Hoeveel zouden er nog volgen? Mama had al een paar keer gevraagd wat er toch was, omdat ze er zo belabberd uitzag.
Over een paar uur zou ze hem onder ogen moeten komen.
Ze schaamde zich helemaal kapot. Kon ze er maar met iemand over praten.
Ze had hem beloofd het er niet met haar vriendinnen over te hebben en die had ze nu net zo hard nodig. Haar ouders zouden het niet begrijpen, sterker nog, ze zouden het afkeuren. Dat wist ze zeker.
Maar zoveel was acht jaar leeftijdsverschil toch helemaal niet? Papa en mama scheelden zes jaar.
Ze hoorde Boy een paar huilgeluidjes maken. Even leek het erop dat het huilen zou doorzetten, toen werd het weer stil. Sinds het advies van de kinderarts die hem uitgebreid onderzocht had, om niet meer direct op elk huiltje te reageren, ging het beter.
Berber draaide zich op haar rechterzij en keek op het klokje van haar mobiel. Tien over vijf. Over bijna twee uur liep de wekker alweer af.
Het hele weekend was ze bezig geweest met piekeren en als ze even niet piekerde dan werkte ze aan haar leesverslag van *Een hart van steen*. Ze was er zeker van dat het haar gelukt was een superverslag te maken. Hij zou het

vast en zeker bijzonder vinden. Ze had heel veel informatie over het boek opgezocht en dat in eigen woorden weergegeven, precies zoals de opdracht was. Het was fantastisch om zo'n boek helemaal uit te pluizen en alles te interpreteren. Straks zou ze haar werk bij hem moeten inleveren. Hoe zou hij kijken? Wat zou hij zeggen?
Het mocht niet, had hij gezegd, een leraar met een leerling. Ze kon van school veranderen, dan was ze zijn leerling niet meer. Maar ja, dat wilde ze eigenlijk helemaal niet. Hier kende ze iedereen en had ze het naar haar zin. En bovendien zouden haar ouders dat nooit goed vinden.
Ze schudde haar kussen op en draaide hem om. Lekker koel zo tegen haar gezicht. Kon ze nu nog maar even slapen. Ze lag nog geen twee minuten op haar rechterzij of ze draaide alweer naar links en weer terug. Toen om zeven uur de wekker afliep, had ze nog steeds geen oog dichtgedaan.

Zonder hem aan te kijken legde ze haar boekverslag op zijn bureau. 'Mooi op tijd.' Djanno bladerde het kort door. 'Je bent een van de eersten.' Hij hield zijn blik op het boekverslag gericht. 'Ziet er goed uit.'
Berber wierp een snelle blik op hem. Hun ogen ontmoetten elkaar een fractie van een seconde voordat hij weer wegkeek.
'Uitsloofster,' plaagde Esmée, die naast haar kwam staan. 'Ik ben er nog niet eens aan begonnen.'
'Je weet toch dat je het deze week in moet leveren, hè?' waarschuwde Djanno. Hij keek langs Berber heen naar Esmée.

'Tijd zat,' zei Esmée zorgeloos.
Berber wist dat ze op internet zou zoeken en met knippen en plakken haar verslag in elkaar zou zetten.
Er kwamen nog een paar leerlingen hun boekverslag inleveren.
'Denk erom, jongens, dat je het op tijd inlevert,' zei Djanno tegen de rest van de klas. 'Elke dag te laat kost je een punt.'
'En elke dag dat je eerder bent, levert een punt op?' vroeg Thomas gevat.
Djanno glimlachte. 'Dacht het niet.'
'Maar je kunt ons toch nog wel wat extra tijd geven?' vroeg Oscar. 'Je kunt ze toch niet allemaal tegelijk nakijken.'
'Ja,' viel Esmée hem bij. 'Weet je wel hoe druk we het hebben?'
'Zal best,' meende Djanno, 'maar als je goed plant, heb je tijd genoeg.'
'Nouhou,' zei Anika bedenkelijk.
'Jongens, de datum staat vast,' kapte Djanno verdere discussie af. 'En pak nu je boeken maar voor je op bladzijde zeventig.'
Een beetje morrend gaf de klas gehoor aan zijn verzoek.
'Jek, spelling,' steunde Elise. 'Dat hebben we in de brugklas al gehad.'
'Dat komt dan mooi uit. Kun je een goed cijfer halen,' meende Djanno, en hij begon het schema van de werkwoordspelling op het bord te tekenen.

20

'Oké, jongens en meisjes, we gaan vanochtend een heel bijzonder rollenspel spelen.' Mevrouw Winkels kwam een van de ontmoetingsruimtes van de enorme kampeerboerderij binnen en ging bij de leerlingen in de kring zitten.
'De counselor van deze school heeft iedere brugklasmentor verzocht om dit met zijn of haar klas te spelen in het kader van het antipestprogramma dat altijd tijdens het brugklaskamp plaatsvindt.'
Berber keek de kring brugklassers rond. Dit was de tweede dag van het brugklaskamp. Gisteren waren ze aangekomen met alle vijf brugklassen.
'Wat is dat, antipest?' wilde Job weten.
'Tegen pesten,' zei Thomas die naast hem zat.
'Daar ben ik voor,' zei Job.
De klas lachte.
'Ben jij voor pesten?' riep Rogier.
'Wel als het om jou gaat!' Job gaf Rogier die aan de andere kant van Thomas zat een duwtje.
Rogier duwde terug.
'Dat gaat goed,' meende mevrouw Winkels.
'Vind ik ook,' grijnsde Thomas. Hij klemde het hoofd van Job onder zijn ene arm en dat van Rogier onder zijn andere. 'Nou, wat hadden jullie nog?'
Iedereen lachte.
Berber keek naar Thomas die de jongens losliet en met zijn vuisten hun haren in de war maakte. Thomas kon goed met de bruggers opschieten. Hij was echt aardig tegen hen. Tegen haar trouwens ook. Superaardig. Als Djanno er niet

was, zou ze misschien verliefd op hem kunnen worden.
Djanno. Gisteravond, toen ze als leiding hadden zitten napraten, was haar blik steeds naar hem gegleden, maar hij had geen enkele keer haar kant op gekeken. Hij had met iedereen zitten praten, behalve met haar.
Mevrouw Winkels keek zoekend de kring kinderen langs. 'Joram, als jij eens naar de gang gaat, dan geef ik de klas instructie en dan mag je daarna weer binnenkomen.'
'Waarom ik altijd?' sputterde Joram.
'Dat zul je straks wel merken,' zei mevrouw Winkels. 'En jij Vincent, jij ook.'
'Met die loser op de gang?' Joram trok een gek gezicht.
'Joram!' De stem van mevrouw Winkels klonk waarschuwend streng
'Oké,' zei mevrouw Winkels toen beide jongens weg waren, 'let op! We gaan dus een rollenspel doen. Vincent komt zo meteen als eerste binnen en zal jullie dan een aantal vragen stellen. Dat is namelijk de opdracht. Het is de bedoeling dat jullie alles zo vriendelijk en positief mogelijk beantwoorden.'
'Hoe bedoel je?' vroeg Veronique.
'Als hij vraagt of hij bij jou in het groepje mag, zeg je bijvoorbeeld "ja natuurlijk",' legde mevrouw Winkels uit. 'En je kijkt er vriendelijk bij. Gesnapt?'
'Welk groepje?' vroeg Veronique verbaasd.
'Laat je fantasie even werken, Veronique. We doen maar alsof.'
'Wat heeft dat met pesten te maken?' wilde Caro weten.
'Dat merk je zo,' zei mevrouw Winkels. Ze liep naar de gang en deed de deur achter zich dicht.

‘Weten jullie wat precies de bedoeling is?’ vroeg Evi aan Berber en Thomas.
‘Natuurlijk,’ antwoordde Thomas, ‘maar dat houden we nog even voor ons.’
‘Flauw zeg,’ pruilde Evi, maar ze lachte erbij.
De deur ging weer open en Vincent en mevrouw Winkels kwamen binnen. Vincent had een papiertje in zijn hand en ging midden in de kring staan.
‘Eh, eh,’ hakkelde hij, terwijl hij strak op zijn briefje keek. ‘Ik eh, ik eh ben jarig en...’ Hij kon zijn zin niet afmaken, want Thomas was al opgesprongen en klopte hem op zijn schouder. ‘Van harte gefeliciteerd Vincent, van harte.’
De anderen keken een beetje verbaasd toe.
Vincent werd een beetje rood en keek weer op zijn papiertje. ‘Ik ga een feest geven en...’
‘Vet!’ riep Thomas. ‘Jouw feesten zijn altijd helemaal te gek. Ik mag toch komen?’
‘Ja natuurlijk.’ Vincent lachte.
‘Ik ook?’ vroeg Rogier. ‘En ik, en ik?’ Een aantal kinderen was opgesprongen en verdrong zich rond Vincent om hem ook te feliciteren. Een paar meisjes schudden hem de hand en Veronique zoende hem zelfs op beide wangen. ‘Het feestje is zeker alleen voor jongens?’
‘Als je zin hebt...’ begon Vincent een beetje onzeker.
‘Nou en of,’ zei Veronique stralend.
‘Wat heb je gekregen?’ vroeg Caro.
‘Een Playstation 3,’ antwoordde Vincent.
‘Wauw helemaal te gek,’ riep Patrick.
‘Oké, stoppen maar.’ Mevrouw Winkels stak haar hand op. ‘Tijd voor het volgende rollenspel. Als Joram zo meteen

binnenkomt, reageren jullie op alles wat hij zegt niet enthousiast, maar juist wat negatief. Voor het contrast, begrijpen jullie?'
De leerlingen knikten.
Even later kwam Joram met veel bravoure binnen. 'Ik ben jarig,' begon hij opgewekt. Hij keek afwachtend naar zijn klasgenoten. Die reageerden lauwtjes.
'Ik ben jarig,' zei hij nog een keer.
'Wat hebben jullie?' riep Joram uit, toen er weer nauwelijks reactie kwam. 'Jullie mogen me feliciteren, hoor!'
'Gefeliciteerd dan maar,' zei Evi.
Ook de anderen mompelden iets wat voor een felicitatie moest doorgaan en begonnen druk met elkaar te praten.
Een beetje onzeker keek Joram naar zijn klasgenoten. 'Ik geef een feestje.'
'Leuk voor je,' zei Thomas koeltjes en daarna wendde hij zich naar Rogier, die naast hem zat.
'Ik denk dat ik een kartfeest doe.' Vol verwachting keek Joram naar zijn vrienden. 'En een film.'
'Kinderachtig, karten.' Berber trok haar neus op. 'Typisch basisschool.'
'Vind je?' vroeg Joram. Zijn stem klonk wat schor.
'Patrick?' vroeg Joram. 'Je komt toch?'
'Wanneer is het?'
'Zaterdag.'
'Kan ik niet.' Patrick draaide zich om naar Vincent en begon met hem te smoezen.
'Wat doen jullie stom!' riep Joram uit. 'Stelletje eikels!' Boos schopte hij tegen de poot van een stoel.
'Ho maar!' Mevrouw Winkels stak weer haar hand op.

'Stoppen!'
Joram plofte op zijn stoel neer. 'Lekker deden jullie, zeg!'
'Vertel eens, hoe voelde je je?' vroeg mevrouw Winkels.
'Vet klote.'
'En jij Vincent? Hoe voelde jij je?'
'Ik vond het gaaf dat iedereen me feliciteerde en zo.'
'Wat jij daarnet zei, Joram, dat ze stom deden, dat was ook precies de bedoeling. Weet je waarom?' Mevrouw Winkels keek hem vragend aan.
Joram kreeg een kleur. Hij zei niets.
'Nou?' drong mevrouw Winkels aan.
'Om mij te laten merken hoe het voelt, als ze je niet moeten.'
'Precies.'
'Net goed voor je!' riep Evi uit. 'Zo stom doe jij ook altijd.'
'Helemaal niet!' stoof Joram op.
'Wel waar, samen met Patrick, vooral tegen Vincent, maar ook wel tegen anderen!' Veronique knikte heftig.
'Omdat, omdat...' begon Joram.
'Volgens mij is er nooit een goede reden om iemand buiten te sluiten,' zei Thomas. 'Ik heb de afgelopen weken vaak gezien dat jij en Patrick echt zaten te klieren, tegen Vincent en ook tegen andere klasgenoten.'
'Het was maar een grapje,' zei Joram onwillig.
'Voor jou misschien, maar ook voor de anderen?' vroeg Berber.
'Voor mij niet,' zei Vincent zacht. Anderen vielen hem bij.
'Nou Joram, je merkt wel dat je klasgenoten het geen leuk grapje vonden,' zei mevrouw Winkels. 'Wat ga je daaraan doen?'

Joram friemelde wat aan zijn kleren. 'Niet meer kloten en klieren,' zei hij toen.
'Dat zou fijn zijn.' Mevrouw Winkels knikte hem even toe. 'We zullen over een paar weken hierover een klassengesprek voeren om te horen of het pesten inderdaad ook is gestopt. En dan hebben jullie nu een half uurtje pauze.'
Berber en Thomas gingen snel naar de keuken om limonade in te schenken en de koeken klaar te leggen.
'Ging goed, hè?' Thomas scheurde een pak roze koeken open. 'Mevrouw Winkels is leuk, vind je niet?'
'Ja.' Berber schonk handig de glazen vol.
'Hé, zeg eens, ben jij eigenlijk op Djanno?'
'Hoezo?' Met een ruk keek Berber op.
'Bijt me niet.' Thomas scheurde een tweede pak open. 'Gisteravond dacht ik het opeens.'
'Natuurlijk niet, idioot,' snauwde ze.
'Waarom word je zo boos?' vroeg Thomas verbaasd.
'Daarom,' zei ze hard.
'Nou, sorry hoor, het was maar een vraag,' zei Thomas een beetje beledigd. 'Je zat steeds naar hem te kijken, gisteravond.'
Zwijgend gingen ze verder met hun werk.
Opeens schaamde Berber zich. Thomas had het niet verdiend om zo afgesnauwd te worden. Hij was altijd aardig, behulpzaam en belangstellend. Ze had gewoon moeten lachen om zijn vraag. Nu had ze zich door haar boosheid in de kaart laten kijken, stommerd die ze was.
Ze moest op haar kiezen bijten om haar tranen tegen te houden. Ze zag vanuit haar ooghoeken hoe Thomas naar haar keek.

'Wat heb je nou?'
'Niks.'
Thomas sloeg even zijn arm om haar heen. 'Ga jij maar naar binnen. Ik regel hier de boel wel verder.'
Zonder verder op of om te kijken haastte Berber zich de keuken uit.

21

'Ik ga naar bed.' Thomas rekte zich uit en gaapte.
Berber gaapte ook, alhoewel ze nog klaarwakker was. Drie uur, zag ze op haar horloge. Ze had er niet toe kunnen komen om naar bed te gaan. Niet voordat Djanno ook ging.
De brugklasleerlingen waren om half twaalf naar bed gegaan na een geslaagde bonte avond met aansluitend disco.
Meneer Koolen, de brugklascoördinator, was samen met nog een aantal brugklasleraren langs geweest om de verschillende acts van de bonte avond te bewonderen, maar zij waren alweer weggegaan, voordat de disco begon.
Als leiding hadden ze nog een poos zitten napraten en natuurlijk moesten de mentoren nog verschillende malen naar boven om de orde te herstellen.
'Het zou me niets verbazen als mijn meiden wat in hun schild voeren,' had mevrouw Winkels gezegd. 'Ze zijn zo opgewonden.'
Maar het was boven rustig gebleven en mevrouw Winkels was vervolgens als eerste naar bed gegaan. Ze voelde zich een beetje grieperig. Om twee uur waren de andere leerlingmentoren gegaan.
Thomas stond op.
'Nou, welterusten dan,' zei Djanno tegen hem.
Berber draaide op haar stoel. Ze voelde zich opgelaten en opgewonden tegelijk.
'Wil je nog wat drinken?' vroeg Djanno, toen Thomas de deur achter zich had dichtgedaan.

‘Goed.’ Berbers stem klonk een beetje schor.
‘Een cola?’
‘Goed.’
Djanno stond op en haalde achter de bar de fles tevoorschijn. ‘Ik doe er een ticje in, jij ook?’
‘Goed.’ Berber keek naar Djanno’s handen die soepel de dop van de fles draaiden. Ze dronk eigenlijk helemaal nooit alcohol, omdat haar trainer dat liever niet had. ‘Om optimaal te kunnen presteren, moet je fitter dan fit zijn,’ zei hij altijd. ‘Dus niet drinken, niet roken en op tijd naar bed.’
Maar ondanks het feit dat ze zich altijd braaf aan die regel had gehouden, knikkerde hij haar er toch uit, dus wat kon het schelen om nu gewoon lekker een cola met tic te drinken.
‘Proost.’ Djanno hief zijn glas.
Berber nam een slok. Best lekker eigenlijk. Om zich een houding te geven, nam ze nog een slok.
Djanno kwam naar haar toe en legde zijn hand om die van haar. ‘Drink je eigenlijk wel eens alcohol?’ vroeg hij. ‘Ik vergeet helemaal dat je nog maar een leerling bent. Je ziet er al zo volwassen uit.’ Hij trok zijn hand terug en ging tegenover haar zitten.
‘Ik drink niet zo vaak. Het mag niet van mijn trainer.’
‘Ben je er al een beetje overheen?’ wilde Djanno weten.
Berber haalde haar schouders op. Ze had geen zin om nu aan haar degradatie te denken, haar eigen teleurstelling daarover en die van haar moeder. Mama vond het waanzinnig belangrijk dat zij uitblonk in hockey. Vroeger had haar moeder op hoog niveau gehockeyd, maar door een

knieblessure had ze vroegtijdig moeten stoppen.
'Gaat wel,' zei Berber.
Zwijgend dronken ze hun drankje en de stilte hing zwaar tussen hen in. Berber sloeg haar ogen neer, toen haar blik die van Djanno ontmoette.
'Zullen we nog een stukje lopen?' Djanno stond op. 'Of ben je al erg moe?'
Ze schudde haar hoofd.
Ze trokken hun jassen aan en gingen naar buiten. Het was aardedonker en winderig koud.
Berber huiverde even.
Djanno sloeg zijn arm om haar heen. Berber voelde de warmte van zijn arm door haar jas branden.
Ze liepen het stille landweggetje af, totdat ze bij het bos kwamen.
'Hier is het beschutter.' Djanno drukte haar nog wat dichter tegen zich aan.
'Berber?'
'Ja?' Ze keek hem van opzij aan, maar keek meteen weer weg, toen ze zag hoe hij naar haar keek. 'Ik moet steeds aan je denken.'
Berber slikte.
'Je hebt wel wat losgemaakt, toen op mijn kamer.'
Berber voelde zich alsof het niet echt met haar gebeurde, alsof ze naar een film zat te kijken.
Achter hen klonk zacht gekraak, gevolgd door wat geritsel.
'Wat is dat?' vroeg Berber geschrokken.
'Een haas of een konijntje,' zei Djanno geruststellend. 'Of een hert. Niets in elk geval om je zorgen over te maken.'

‘O.’ Berber ontspande zich een beetje.
Ze voelde hoe Djanno zijn handen om haar gezicht legde. Dit mag niet, flitste het door haar heen. Maar, dacht ze triomfantelijk, hij trekt zich er niets van aan, omdat hij ook verliefd op mij is. Of nee, wat had hij gezegd: *Je hebt wel wat losgemaakt.* Dát had hij gezegd.
Ze voelde hoe zijn mond over haar gezicht gleed en stopte bij haar lippen. Zijn handen gleden van haar gezicht via haar hals naar beneden en ritsten haar jack open.
Berber drukte zich nog wat dichter tegen hem aan. Opeens waren zijn handen overal en nergens. Op haar borsten, haar rug, haar billen en zelfs even tussen haar benen.
Berber schrok van zijn heftigheid.
‘Nee,’ zei ze. ‘Nee!’ Ze zette haar handen tegen zijn borst en duwde. Meteen was ze los.
‘Wat is er?’ vroeg hij.
‘Ik, ik...’ Ze maakte haar zin niet af.
‘Het gaat je te snel en te wild?’ Hij streek met de rug van zijn hand langs haar wang. ‘Dit is toch wat je zo graag wilde?’
Hij trok haar weer naar zich toe. Zijn handen gleden onder haar jack en onder haar shirt over de blote huid van haar rug. ‘Ontspan eens een beetje.’ Heel zacht en voorzichtig kneedde hij elk stukje van haar rug.
Ze zuchtte een keer diep, maar de gespannenheid bleef.
‘Zo beter?’ fluisterde hij met zijn lippen tegen haar oor. Hij maakte de sluiting van haar bh los, ging met zijn handen naar voren en aaide vederlicht over haar borsten.
‘Zullen we even gaan zitten?’ vroeg hij.

‘Hier?’ Een beetje onthutst keek Berber van Djanno naar de koude en nattige bosgrond.
‘Een stukje verderop staat een bankje. Zullen we?’
Berber aarzelde. Wilde ze dat wel? Maar aan de andere kant, had ze hier niet al die weken van gedroomd?
‘Oké,’ zei ze.
Djanno pakte haar hand en trok haar mee naar het bankje. Hij trok zijn jas uit en spreidde die over de zitting. ‘Dan worden je kleren niet vies.’
Berber ging zitten en Djanno schoof naast haar.
Hij sloeg zijn armen om haar heen en duwde haar zachtjes naar beneden. Berber voelde het harde hout van de bank pijnlijk tegen haar rug aan. Opnieuw raakten zijn handen elk stukje van haar lijf en waren zijn strelingen overal.
Berber wist niet meer wat ze voelde.
Zijn duimen draaiden kleine rondjes om haar navel en tegelijkertijd probeerde hij de knoop van haar spijkerbroek los te maken.
‘Nee,’ zei ze, ‘nee!’
‘Je wilt net zo graag als ik,’ hijgde hij, ‘dat heb ik toen bij mij thuis heus wel gemerkt.’ Hij drukte zijn mond op de hare.
Berber voelde zijn tong in haar mond en lag als verdoofd. Wilde ze dit echt? Ze wist het niet, ze wist helemaal niets meer.
Op dat moment klonk er een luide gil. Berber verstijfde van schrik en ook Djanno schrok. Hij stond op en streek zijn kleren glad.
‘Wat was dat?’ vroeg Berber. ‘Een beest?’
‘Zo klonk het niet,’ zei Djanno.

Ze luisterden stil en ingespannen.
'Misschien een van de leerlingen?' opperde Berber.
'Laten we hopen van niet.' Djanno trok haar omhoog. Hij deed haastig zijn jack aan. 'Kom we gaan terug.'
Naast elkaar liepen ze terug over het smalle bospad. Dit keer sloeg Djanno geen arm om haar schouder. Berber rilde. Ze pakte zijn hand en zijn vingers sloten zich een moment om de hare, voordat hij haar weer losliet.

22

Ze waren al vlak bij de kampeerboerderij, toen er opeens vanuit een zijpad een groepje meisjes aankwam. Berber schrok. Waar kwamen die meiden vandaan? Hadden ze iets gezien? Hadden ze gemerkt dat zij samen weg waren gegaan en waren ze hen gevolgd?
Veronique en Tamara hadden een stoeltje gemaakt van hun armen en daarop zat Evi. Sterre en Caro probeerden haar te ondersteunen.
'Wat is hier aan de hand?' vroeg Djanno.
'Evi is gevallen,' zei Tamara. 'Ze stapte in een konijnenhol of zo en ging door haar enkel.
'Kom maar gauw mee naar binnen.'
Op het moment dat ze de deur achter zich dichtdeden, werd er aan het slot gemorreld. De deur ging opnieuw open en er kwam een groepje meisjes, onder wie Chantal, uit de klas van Djanno binnen, met bleke, verschrikte gezichten.
Op dat moment kwamen er ook nog vier jongens uit de klas van mevrouw Winkels binnen. Ze bleven stokstijf staan toen ze Djanno ontwaarden.
Veronique en Tamara lieten Evi op een stoel glijden.
Djanno maakte zo voorzichtig mogelijk haar schoen los, maar kon niet voorkomen dat Evi een gil slaakte.
Berber wist nu ook waar die gil van daarnet vandaan gekomen was.
'Ai, dat ziet er niet zo mooi uit.' Djanno betastte de opgezette enkel zorgvuldig. 'Het zou me niet verbazen als die gebroken is.'

Evi begon met lange uithalen te huilen. 'Dat wil ik niet, ik ben bang.'
'We zullen naar de eerste hulppost moeten,' besloot Djanno.
Veronique deed een stap naar voren. 'Ik ga mee.'
Berber keek naar Djanno, maar die vermeed het om haar aan te kijken. Hij bukte zich en tilde Evi op. 'Kom op dan,' riep hij over zijn schouder tegen Veronique.

Berber bleef een ogenblik stokstijf staan, toen de deur achter Djanno, Evi en Veronique was dichtgegaan. 'Waarschuw jij mevrouw Winkels,' was het enige dat Djanno in het voorbijgaan tegen haar gezegd had.
Ze voelde zich als verdoofd.
Ondertussen vertelden de meisjes aan de jongens wat er gebeurd was.
'Lekker de weddenschap toch gewonnen,' ving Berber op. 'We zijn in het bos geweest.'
'We zagen jullie,' zei Kamiel, maar we raakten jullie daarna even kwijt. 'Het was ook zo donker.'
'Het was onze bedoelding om jullie af te schudden,' zei Tamara mat. 'Daar hadden Evi en ik weer om gewed. Maar net toen dat gelukt was, viel Evi dus.'
'Hadden Djanno en jij ons gehoord of zo?' vroeg Caro aan Berber.
Berber knikte. 'Ja, we wilden weten wat jullie gingen uitspoken.' Ze slaakte inwendig een zucht van verlichting. Caro bood haar de smoes op een presenteerblaadje aan.
Vanuit haar ooghoeken zag Berber hoe Chantals ogen even spottend in haar richting flitsten. Die gelooft het

niet, schoot het door haar heen.
'Zullen we nog wat drinken pakken?' vroeg Kamiel.
De bruggers gingen naar de keuken.
Berber keek hen besluiteloos na. Moest ze met Chantal praten? Ze verwierp dit idee meteen weer. Daar zou het alleen maar erger van worden, was ze bang. Dan zou Chantal helemaal denken dat ze gelijk had.
Ze ging de trap op naar boven en pakte haar toilettas uit haar kamer.
Lucie, de leerlingmentor van een van de andere klassen, met wie ze samen een kamer deelde, lag te slapen.
In de grote badruimte poetste ze haar tanden en liep weer terug.
Net toen ze haar kamer binnen wilde gaan, ging de deur van de kamer van Thomas en Sven, een van de andere leerlingmentoren, open.
'Wat is dat voor herrie beneden?' vroeg Thomas slaperig.
Opeens moest Berber huilen.
'Wat is er?' vroeg Thomas gealarmeerd.
'Evi heeft haar enkel gebroken,' snikte Berber.
'Hè, hoe dat zo?'
'In het bos. De meiden hadden een weddenschap.'
'Waar is Evi nu dan?'
'Met Djanno en Veronique naar de eerste hulppost.'
'Maar waarom huil jij dan?'
'Weet ik niet, zomaar.'
Thomas sloeg zijn arm om Berber heen. 'Joh, kom op, zo'n gebroken enkel is echt niet zo ernstig hoor.'
Dwars door haar tranen heen, schoot Berber in een zenuwachtige lach. Gebroken enkel, gebroken hart.

Thomas dacht dat ze huilde om een gebroken enkel.
Opnieuw ging er een deur open en dit keer kwam mevrouw Winkels naar buiten.
'Willen jullie wel eens snel gaan slapen,' zei ze streng. 'Weten jullie wel hoe laat het is?' Ze keek Berber opmerkzaam aan. 'Wat is er met jou aan de hand?'
'Evi heeft haar enkel gebroken,' zei Berber snel, 'en Djanno is met haar naar de eerste hulppost.' Gelukkig dat mevrouw Winkels haar bed uitgekomen was, want ze had er helemaal niet meer aan gedacht dat zij haar had moeten waarschuwen.
'Haar enkel gebroken? Hoe kan dat?'
En weer vertelde Berber wat er gebeurd was.
'Wie zijn er nu nog beneden?' vroeg mevrouw Winkels.
'Die bruggers dus,' antwoordde Berber.
'Zijn ze nu helemaal? Het is vier uur!' Mevrouw Winkels stampte boos de trap af.
Thomas en Berber keken elkaar aan. Thomas had nog steeds zijn arm om haar heengeslagen. Hij sloeg zijn ogen neer, haalde zijn arm van haar schouder en bleef een beetje stuntelig staan.
Wat is hij toch aardig, dacht Berber. Superaardig. Tot haar stomme verbazing voelde ze ineens een kriebel in haar buik. Het verwarde haar.
'Gaat het een beetje?' vroeg Thomas.
Ze knikte.
'Laten we maar naar bed gaan, voordat de hele meute weer boven komt,' stelde hij voor. Hij boog zich naar haar toe, drukte een snelle kus op haar mond en schoot daarna als een haas zijn kamer in.

Berber woelde onrustig van haar ene op haar andere zij. Ze had de brugklassers al een poos geleden naar boven horen komen onder zacht gepraat en gegiechel. Waar hadden ze het over? Hadden ze echt niks gezien?
Gezien misschien niet, maar ze zag steeds weer die spottende blik van Chantal. Die geloofde het niet. Toen, met dat huiswerk maken, had ze het ook doorgehad. Als ze maar niet ging kletsen. Hoe moest het verder allemaal?
Was zij nu verliefd op Djanno én Thomas? Dat kon toch helemaal niet, op twee tegelijk? Was ze eigenlijk überhaupt wel verliefd?
Ze keek naar Lucie, die rustig lag te slapen. Was Elise er maar of Esmée. Die had ze rustig wakker gemaakt.
Lucie was een echte studie. Het atheneum was net te zwaar voor haar geweest en daarom was ze na de zomervakantie naar havo 4 gegaan in plaats van atheneum 4. Lucie zou hier helemaal niks van begrijpen.
Ze dacht aan Djanno's heftigheid, toen hij haar zoende. Het was een eisende, dwingende kus geweest. Zijn handen hadden haar overal aangeraakt. Ze was ervan geschrokken en had het helemaal niet zo prettig gevonden. Waarom niet? Was ze dan toch niet verliefd op hem? Als je verliefd was, dan vond je het toch fijn om samen te vrijen?
De kus van Thomas was alleen maar lief geweest. Een beetje verlegen en onderzoekend.
Berber hield het in bed niet meer uit. Ze werkte zich uit haar slaapzak en sloeg haar benen over de rand. Zo bleef ze lange tijd zitten, terwijl de gedachten door haar hoofd raasden.

23

De volgende morgen werd Berber wakker door geroep en gegil op de gang. De deur van haar kamer ging open en Lucie kwam binnen. 'Kom je ontbijten? Het is bijna acht uur.'
'Ik kom eraan.'
Lucie plofte op het andere bed neer. 'Wist je dat Evi haar enkel heeft gebroken?'
Berber knikte.
'Ze is vannacht door haar moeder uit het ziekenhuis gehaald, Djanno vertelde het net,' ging Lucie verder.
'Ik wist dat ze vannacht haar enkel had gebroken, maar niet dat ze door haar moeder opgehaald was,' zei Berber.
'Zeg?' vroeg Lucie met een uithaal. 'Hebben jij en Djanno iets met elkaar?'
Met een ruk draaide Berber zich naar haar om. 'Nee, natuurlijk niet! Hoe kom je daarbij?'
'Chantal zegt het. Dat jij verliefd op hem bent. Dat jij, toen hij bij haar op huisbezoek was, met een of andere suffe huiswerksmoes langskwam. Ze kletst het overal rond.'
Berber zocht extra lang in haar tas. 'Belachelijk,' zei ze gesmoord. 'Belachelijk.'
Ze pakte haar handdoek en kwam weer omhoog. Wat een rotgriet, die zus van Esmée.
'Djanno en ik ontdekten gewoon dat er een paar bruggers naar buiten waren gegaan en we gingen kijken,' zei ze zo nonchalant mogelijk.
'Oooo,' zei Lucie met een lange uithaal. 'Ik dacht ook al. Jullie samen...'

'Stom geklets! Bruggerpraat! Nou, ik ga douchen.' En met haar handdoek in haar hand haastte ze zich naar de douches.
Tot haar verbazing merkte ze dat haar bovenbenen trilden.
Een paar meiden uit een van de brugklassen stonden samen te kletsen in de grote badruimte. Ze zwegen even, toen ze Berber zagen binnenkomen en gingen toen, onderdrukt giechelend, naar de gang.

Berber ging niet ontbijten, maar pakte op haar kamer haar spullen in. Ze deed het zo langzaam mogelijk. Nu hoefde ze tenminste niemand onder ogen te komen. Toen ze haar slaapzak had opgerold en haar tas ingepakt, zette ze haar bagage op de gang.
'Berber, ik wil je een momentje spreken.' Djanno stond haar op te wachten. 'Dat van gisteravond had niet mogen gebeuren.'
Berber zei niets.
Djanno kuchte. 'Het was stom van me. En nu kletst iedereen erover.' Hij kuchte nog een keer.
Berber voelde zijn nabijheid en deed een stap achteruit.
'Het is allemaal jouw schuld, weet je dat? Ik wilde dit helemaal niet.' Djanno streek een keer door zijn haar.
'O nee?' Ze keek hem opeens fel aan. 'Waarom vroeg je me dan gisteravond mee?'
'Een moment van zwakte. Je bent verliefd op me en ik voelde me gevleid.'
'Dan heb je me dus gewoon gebruikt.' Een vage, zeurende pijn trok door haar buik.

'Nou gebruikt... Ik deed gewoon wat jij graag wilde. Toch?'
Berber beet hard op haar lip.
'Je bood je als het ware aan en... nou ja, ik had daar natuurlijk niet op in mogen gaan.' Hij streek opnieuw door zijn haar.
'En nu?'
'Nu niks natuurlijk. Het is over en uit, dat zul je wel begrijpen, toch?'
Berber proefde de metalige smaak van bloed in haar mond.
'Ik reken op jouw discretie,' ging Djanno verder, 'en jij kunt natuurlijk rekenen op de mijne.'
'Hoezo?' vroeg ze verbouwereerd. Ze wist niet eens wat discretie precies betekende.
'Ik zal niemand vertellen dat jij je aan mij hebt aangeboden.'
Opeens werd Berber razend. Wat een zak van een vent. Hoe had ze verliefd kunnen zijn op zo'n loser? Ze draaide zich om en sloeg met een klap de deur voor zijn neus dicht.
Ze merkte dat ze over haar hele lijf trilde van woede. Ze wilde stampvoeten, schreeuwen, iets kapot gooien. Ze wilde hem slaan, schoppen, pijn doen. Haar nagels over zijn gezicht halen. Ze zuchtte een paar keer diep om zichzelf weer onder controle te krijgen. Dit liet ze er niet bij zitten. Ze zou hem terugpakken, hoe dan ook.

24

'Vertel nou wat er is gebeurd,' smeekte Esmée.
Het was zaterdagmiddag. Berber had tot één uur uitgeslapen en toen stonden Elise en Esmée voor de deur.
Esmée had gisteravond meteen gebeld dat ze uitgebreid wilde MSN'en - Chantal had natuurlijk thuis al in geuren en kleuren verteld wat er allemaal gebeurd was - maar Berber was zo moe dat ze haar ogen bijna niet open kon houden.
'Kom morgenmiddag maar langs,' had ze gezegd.
'Zo lang kan ik niet wachten,' had Esmée nog gejammerd, 'het is allemaal zo spannend.' Maar Berber had voet bij stuk gehouden. Om zeven uur was ze, ondanks de pijn in haar buik die maar niet over wilde gaan, als een blok in slaap gevallen en ze had geslapen tot elf uur vanochtend.
Bloem had haar gewekt met een lekker ontbijtje. Eerst had ze gedacht dat ze niet zou kunnen eten, maar tot haar verbazing was dat toch gelukt. De pijn van gisteren had zich teruggetrokken in een klein hoekje van haar buik en zat daar een beetje te simmen.
'Wat zou er gebeurd moeten zijn?' vroeg Berber aan haar vriendinnen, die haar nieuwsgierig aankeken.
'Chantal zegt dat jij en Djanno samen iets hebben.' Esmée keek haar opmerkzaam aan. 'Zou toch kunnen?'
'Nee, dat kan niet,' zei Berber hard, 'want ik ben niet meer verliefd op hem.'
'Dat jullie iets hebben gehad dan,' verbeterde Esmée.
'Ook niet.'
'Ben je boos?' wilde Elise weten.
'Nee.'

'Mens, wat doe je kortaf. Vertel nou eens wat.' Esmée schudde haar aan haar schouders.
'Het was gewoon een leuk kamp.'
'Ja, dat zal best, maar er is wel wat gebeurd. Zeker weten.' Esmée liet haar weer los. 'Kom op, brand los!'
'Nou ja, ik geloof dat ik een beetje op Thomas ben. Hij is in elk geval wel op mij.' Ze moest de aandacht van Djanno afleiden.
'Zomaar ineens?' vroeg Esmée sceptisch.
'Dat kan toch?'
'Alles kan, maar ik dacht dat je zo stapel was op Djanno?'
'Dat is over.'
'Waarom dan?' wilde Elise weten. 'Wat is er gebeurd?'
'Helemaal niets. Thomas...'
'Volgens mij verberg je wat,' drong Esmée aan.
'Echt niet.'
'Maar op MSN had iedereen het erover dat Djanno en jij ...'
'We hoorden wat en zijn toen gaan kijken. That's all. Kan ik het helpen dat die zus van jou daar zó'n enorme roddel van maakt?' Berber stond op.
'Wat ga je doen?' vroeg Elise.
'Ik ga even iets te drinken voor ons halen.' Ze ging de kamer uit naar beneden.
Ze kon haar vriendinnen niets vertellen. *Ik reken op je discretie*, had hij gezegd.
Discretie. Ze had het woord thuis opgezocht in het woordenboek. Het betekende zoiets als tact, fijngevoeligheid, omzichtigheid. Het kwam er dus gewoon op neer dat ze haar mond moest houden. Nou, dat zou ze doen. Djanno kon op haar discretie rekenen, dat had ze hem toen, de

eerste keer, al beloofd, maar hij zou het weten, dat was zeker.
Toen Esmée en Elise weg waren, ging ze de stad in. Haar vriendinnen waren een beetje geïrriteerd vertrokken.
'Flauw hoor!' had Esmée gemopperd. 'Ik heb jou toch ook verteld van dat met Roman.'
'Ik heb jullie toch verteld van Thomas?' had ze gezegd.
'Dat is heel wat anders. Ik voel gewoon dat er iets op dat kamp is gebeurd. Echt flauw van je!'
Ze had het allemaal maar een beetje langs haar heen laten afglijden. Het was vervelend dat ze hen niet in vertrouwen kon nemen, maar dat had ze nu eenmaal beloofd.
Bij de ramsjafdeling van een grote boekenwinkel kocht ze voor bijna niets een paar boeken van Nederlandse auteurs.
Ze had gisteren de hele dag op wraak zitten broeden. *Je bood je als het ware aan*, steeds weer hoorde ze die hatelijke woorden. Hij had haar op haar ziel getrapt, tot in de grond vernederd.
Alhoewel ze razend was, mocht haar wraak ook weer niet te erg zijn. Dat paste niet bij haar. Ze had gedacht aan de film *Fatal Attraction*. Die vrouw had de meest gruwelijke dingen gedaan om zich te wreken. Het konijn in de pan stond nog altijd haarscherp op haar netvlies. Zoiets wilde ze dus niet. Nog afgezien van het feit dat hij geen huisdieren had, zou ze een dier ook geen kwaad kunnen doen.
Daarna had ze gedacht aan iets wat ze een poos geleden gelezen had. Een vrouw had alle linkermouwen uit de kleding van haar overspelige man geknipt. Dat waren heel wat dure linkermouwen geweest, want die man was dol op mooie kleren.

Op haar kamer bladerde ze door de gekochte boeken heen en las hier en daar een bladzijde. Nu maar hopen dat hij deze boeken ook in zijn kast had staan. Aan de andere kant, hij had zoveel boeken dat hij misschien niet eens meer precies wist wat hij eigenlijk had staan.
Met een schaar beschadigde ze de voorkant en scheurde er half een paar bladzijden uit.
Daarna stopte ze de beschadigde boeken in haar schooltas.

25

Op maandagochtend vertrok ze op de gewone tijd van huis. Ze nam echter niet de weg naar school, maar reed naar zijn huis. De zwarte Golf stond voor de deur, maar zijn ouderwetse Gazelle stond er niet. Logisch natuurlijk, want hij had zo meteen gewoon les net als zij.
Met een beetje geluk zou ze het eind van het eerste lesuur nog wel halen. Dat hij zou weten dat zij het gedaan had, maakte haar niets uit. Dat was ook precies de bedoeling.
Ze drukte op de bel van Paul, de student die toen de deur tegen haar neus had geslagen. Nu maar hopen dat die nog thuis was én dat Djanno hem niets verteld had. Dat laatste was het risico dat ze dan maar moest lopen.
Na een paar minuten zwaaide de deur open. Een slaperig gezicht keek haar aan. 'Weet je wel hoe laat het is?' vroeg hij.
'Bijna half negen.'
'Hé, jij bent dat kennisje van Djanno, dat meisje met die neus. Ziet er weer keurig uit.'
Berber herademde. Djanno had dus alleen maar tegen Paul gezegd dat zij een kennisje was.
'Kom je doen?'
'Ik heb een verrassing voor Djanno voor als hij straks thuiskomt. Mag ik doorlopen?'
'Tuurlijk!' Paul hield de deur wagenwijd open. 'Voor een verrassing altijd! Wat is het trouwens?' vroeg hij nieuwsgierig.
'Dat hoor je wel van hem, misschien.' Ze glimlachte geheimzinnig.

Paul lachte. 'Loop maar door. Enneh, nog bedankt dat je me uit bed belde, ik heb om negen uur een belangrijk college.'

Zijn bed was niet opgemaakt en de ontbijtboel stond nog op tafel. Over een stoel hingen een paar broeken en een paar shirts. Al met al gaf het een rommelige indruk, alleen de enorme boekenkast was keurig netjes, net als de vorige keer dat ze hier was. Alle boeken stonden kaarsrecht naast elkaar in het gelid en geen enkele rug stak ook maar een beetje uit. Hij was overduidelijk heel zuinig op zijn boeken. *M'n boeken, m'n vrienden*, had hij gezegd.
Ze moest nu snel aan de slag.
Haastig greep ze een eerste stapel boeken uit de kast en zette hem op de grond. Een tweede stapel zette ze een eindje verderop. Een derde weer een stukje verder. Overal zette ze stapeltjes neer. Toen ze de halve kast leeg had, begon ze alle stapels een voor een om te duwen. Al gauw was het op de vloer een enorme chaos. Ze veegde het zweet van haar voorhoofd en rechtte even haar rug. 't Was nog een behoorlijk zwaar werkje.
Ze haalde nog meer boeken uit de kast en spreidde ze overal uit. Toen ze de hele kast leeg had, haalde ze de boeken die ze had gekocht uit haar tas en legde ze goed zichtbaar bij de rest. Met een beetje geluk zou hij niet meteen doorhebben dat dat zijn eigen boeken niet waren en denken dat meer boeken beschadigd waren.
Het schonk haar een enorme voldoening om zich zijn schrik bij het zien van de chaos voor te stellen en een nog grotere voldoening om zich zijn ontzetting bij het zien van

de beschadigde boeken voor de geest te halen. Hij zou vast al zijn boeken controleren. Net goed. Het zou hem toch zeker een paar uur kosten om al die boeken uit te zoeken en ze weer netjes terug op alfabetische volgorde te zetten. Ze pakte haar lippenstift en schreef op de muur tegenover de kastenwand: *Ze boden zich als het ware aan. Ik reken op jouw discretie en jij kunt natuurlijk rekenen op de mijne!*
Bij de deur keek ze nog een keer om. Het rood van de lippenstift, stak vlammend af tegen het wit van de muur.

26

Op het klokje van haar mobiel zag ze dat het tweede lesuur al een half uur bezig was. Ze had trouwens ook geen spat zin meer om nog naar school te gaan. Ze zou zich op een fijn dagje vrij trakteren. Ging ze lekker shoppen en dan zag ze later wel weer hoe ze dat verantwoordde.
Pas in het centrum realiseerde ze zich dat de winkels op maandagochtend gesloten waren. Alleen V&D was open.
Ze ging er naar binnen en slenterde over de verschillende afdelingen. Het bliepje van haar mobiel waarschuwde haar dat ze een berichtje had. Het was van Elise. BEN JE ZIEK?
NEE, berichtte ze terug. BEN IN DE STAD.
Op hetzelfde moment kwam er een tweede berichtje binnen, dit keer van haar moeder. SCHOOL BELDE NET. WAAR ZIT JE? MAAK ME DOODONGERUST.
Ze staarde naar het display van haar mobiel. Wat moest ze haar moeder terug sms'en? Nou ja, wat kon het ook boeien? Dit was de eerste keer van haar leven dat ze een keer spijbelde. Jammer dan.
BEN BIJ DE V&D, stuurde ze terug.
Meteen kwam er nog een berichtje. DE RECTOR VAN SCHOOL BELDE. HIJ WIL JE SPREKEN.
Met een groeiend gevoel van paniek liet ze het tot zich doordringen. Dat betekende dat de rector iets had gehoord. Zo meteen was de hele school nog op de hoogte.
Ze nam de roltrap naar de begane grond. Als zij haar mond hield, konden ze haar niets maken en hem ook niet. Stel je voor dat de rector hém zou ontslaan. Dát wilde ze niet.
Discreet moest ze zijn, discreet zou ze zijn.

'Ga zitten Berber.' De rector wees uitnodigend op de stoel voor zijn bureau.
Ze ging op het uiterste puntje zitten.
'Om maar direct "to the point" te komen: er heeft een ouder van een brugklasser geklaagd dat de heer Jongbloed en jij iets met elkaar zouden hebben. Klopt dat?'
'Nee.'
'Dat weet je zeker?'
'Ja. We hebben samen die bruggers betrapt, maar verder niet.'
'Hoe kwam het dat jullie samen waren?'
'We zaten te praten en hoorden wat. Toen we gingen kijken, ontdekten we dat een groep bruggers buiten liep.'
'Waarom zaten jullie zo laat nog samen te praten?'
Berber schokschouderde.
'Hoe komt die ouder van die brugklasser er dan bij dat jullie samen iets zouden hebben?'
Berber zweeg.
'Vind je de heer Jongbloed aardig?' wilde de rector weten.
'Gewoon.'
'Dus als ik het goed begrijp, is het een ordinaire roddel.'
Berber knikte.
'Ik heb ook met de heer Jongbloed gesproken. Vanmorgen, nog voor half negen.'
Berber rechtte haar rug.
'Hij zegt dat jullie niets hebben, maar dat hij het idee heeft dat je verliefd op hem bent.'
'Niet meer.' Het was eruit voor ze er erg in had.
'Aha, dus je bent wel verliefd op hem geweest, als ik het goed begrijp.'

Ze haalde haar schouders op.
'Berber, ik wil weten wat er precies gebeurd is. Dat moet ik weten, begrijp je?'
Nee, dacht Berber, daar begrijp ik niets van. Waar bemoei je je mee?
'Er is niets gebeurd,' zei ze. 'Nou goed, ik wás verliefd, maar nu niet meer.'
'Hoe komt dat?'
'Weet ik niet.'
'De heer Jongbloed zegt dat jullie daar een paar keer over gepraat hebben, maar dat er verder niets gebeurd is, dat hij ook niet verliefd op jou is.'
Berber voelde haar keel dik worden. Ze slikte.
'Dus er is verder niets gebeurd?' drong de rector aan.
Berber schudde zwijgend haar hoofd.
'Misschien wil je dit liever met onze vertrouwenspersoon bespreken?'
'Er is niets te bepraten,' hield Berber vol.
'Waarom was je vanochtend niet op school?' wilde de rector weten.
'Ik, ik had geen zin.'
'Had dat iets met de heer Jongbloed te maken?'
'Ik had zin om de stad in te gaan.'
'Op maandagmorgen?' De rector glimlachte even.
'Ik had er niet aan gedacht dat de winkels dicht waren, maar de V&D was wel open.'
De rector stond op. 'Ik zal de jongedame in kwestie, die dit praatje de wereld in gebracht heeft, nog eens duchtig aan de tand voelen.'
'Is dat Chantal de Bont?' vroeg Berber.

'Klopt.'
'Ze, ik, ik weet waarom ze dat zegt. Toen Djanno, ik bedoel meneer Jongbloed daar op huisbezoek was, toen nodigde Esmée, haar zus, mij uit. En Chantal dacht toen dat ik voor hem kwam.'
'En was dat ook zo?'
'Nee,' zei Berber zacht. 'Er is niets gebeurd.'
'Goed dan.' De rector knikte haar even toe. 'Ga maar naar je les. Je hoort er nog wel van.'
Opgelucht dat het onderhoud afgelopen was, stond Berber op en verliet de kamer. Ze liep regelrecht naar de fietsenstalling en pakte haar fiets. Ze dacht er niet aan om nu naar de les te gaan. Ze wilde alleen zijn.

27

Toen Berber de maandagochtend na de herfstvakantie op het nippertje bij het lokaal Nederlands kwam, was Djanno er nog niet. De leerlingen stonden op de gang voor een dichte deur met elkaar te praten. Ze zag hoe Thomas naar haar keek en even naar haar lachte. Hij had haar verschillende sms'jes gestuurd die ze allemaal had beantwoord. Hij had gevraagd of ze verkering wilde, maar dat had ze nog even afgehouden. Weet het nog niet, misschien, had ze geantwoord.
Berber had er als een berg tegenop gezien om Djanno weer te zien. Het had haar een goed gevoel gegeven dat ze had teruggeslagen, maar het maakte haar ook onrustig, een beetje angstig zelfs.
De week voor de herfstvakantie had ze zich ziek gehouden. Dat was zo goed gelukt, dat mama haar had meegenomen naar de huisarts. Ik ben zo moe, had ze gezegd. Ze was geprikt op Pfeiffer, maar daar was niks uitgekomen. Een lichte bloedarmoede, had de dokter gezegd en hij had haar pillen voorgeschreven. Ze had veel op bed gelegen en geslapen. Het was heerlijk om nergens aan te hoeven denken.
Toen de herfstvakantie begon, was haar vader opeens met het voorstel gekomen om een weekje naar een waddeneiland te gaan. Ze waren op Vlieland geweest en hadden heerlijk weer gehad. Een dag was het zelfs zo warm geweest, dat ze hadden kunnen zwemmen in zee.
Toen Djanno er om vijf over half negen nog niet was, groeide het ongeduld onder de leerlingen. Sommigen ver-

heugden zich al op een paar uurtjes vrij, anderen mopperden dat de telefoonketen niet in werking was gesteld. Net toen iemand poolshoogte wilde gaan nemen, kwam hun mentor eraan.
'Ik neem de lessen van de heer Jongbloed in jullie klas vandaag waar.' Ze draaide de deur van het slot en liet de leerlingen naar binnen gaan.
'Is meneer Jongbloed ziek?' vroeg Anika.
'De heer Jongbloed heeft het aanbod gekregen om les te geven aan de universiteit en tegelijkertijd te promoveren,' zei mevrouw Engelaan. 'Er kwam onverwacht een plaats vrij. Dat aanbod heeft hij met beide handen aangegrepen.'
Berber voelde hoe het in haar oren begon te suizen. Ze voelde zich oneindig opgelucht, maar tot haar verbazing ook een beetje teleurgesteld. Ze snapte zelf niet goed waarom.
'Jullie kunnen voor jezelf aan het werk gaan.' Mevrouw Engelaan ging achter het bureau zitten en pakte een stapeltje proefwerken uit haar tas om na te kijken.

'Kom op, koffie. Ik trakteer.' Het was pauze. Berber trok Esmée en Elise mee. Ze had best gemerkt dat haar vriendinnen wat afstandelijk deden. Ze hadden nog een paar keer geprobeerd haar op MSN uit te horen over Djanno, maar hadden het uiteindelijk opgegeven.
In de leerlingensoos haalden ze koffie.
'Wist je het van Djanno?' Esmée keek haar onderzoekend aan.
Berber schudde haar hoofd.
Thomas kwam er ook bij staan.

'Is het nu eigenlijk aan tussen jullie?' vroeg Elise.
'Nog niet.' Berber keek Thomas aan. 'Ik eh, ik wil eerst gewoon vrienden zijn.'
Ze zag dat hij een beetje teleurgesteld keek. Ze vond het sneu voor hem, maar eerst moest dat met Djanno helemaal uit haar hoofd zijn.
'Ik heb het uitgemaakt met Roman,' zei Esmée.
'Wat?' riepen Elise en Berber tegelijkertijd. 'Uit? En dat zeg je zomaar alsof er niets aan de hand is?'
'Er is ook niets aan de hand. Het is gewoon uit. Hij wilde meer dan ik, dat vertelde ik je toen toch al, Berber. Hij werd boos dat ik maar steeds niet wilde. Nou, en toen heb ik het uitgemaakt,' zei Esmée rustig.
'Hoelang is dat al?' wilde Berber weten.
'Een paar dagen.'
'En je vindt het niet erg?' vroeg Berber verbaasd. 'Toen zei je dat je misschien toch maar met hem naar bed zou gaan.'
'Niet dus.' Esmée streek haar lange haar naar achteren. 'Ik wilde het eerst wel doen, hoor, maar omdat hij steeds aandrong en boos werd, groeiden we uit elkaar. Het voelde gewoon niet meer goed met hem.'
'Wat een loser, die Roman!' zei Elise.
'Hij had ook leuke kanten,' verdedigde Esmée hem. 'Nee, echt,' zei ze, toen ze zag dat Berber en Elise bedenkelijk keken. 'Je kon vet veel lol met hem hebben.'
De bel voor het derde lesuur ging.
'Nu al?' Berber dronk snel haar laatste slok koffie.
Daarna slenterden ze met z'n vieren naar de volgende les.

Toen Berber om drie uur thuiskwam, lag er een pakje op de trap.
'Voor jou,' zei haar moeder, die met Boy op de arm de gang inkwam. 'Het is vanmorgen bezorgd.'
Berber pakte het op en bekeek de adressering. Ze voelde hoe haar benen begonnen te trillen. Dat handschrift kende ze maar al te goed.
'Maak je het niet open?' vroeg haar moeder.
'Dat doe ik boven wel.' Ze ging de trap op naar haar kamer. Daar gekomen pakte ze een schaar uit de la en knipte het open. Ze sloeg het papier terug en zag de beschadigde boeken die zij had gekocht. Ze pakte het briefje dat erbij zat.

Beste Berber,

Bij het opruimen van mijn boekenkast trof ik deze boeken aan. Je hebt ze de laatste keer dat je bij me was laten liggen. Hierbij stuur ik ze terug.
Dat van dat aanbieden had ik niet moeten zeggen. Daarmee heb ik je gekwetst. Het was allemaal mijn fout en dat spijt me.
Ik stel het op prijs dat je niets tegen de rector hebt gezegd, maar ik vond mijn positie op school onhoudbaar geworden. Vandaar dat ik het aanbod om te promoveren met beide handen heb aangegrepen.
Berber, het ga je goed.

Djanno

28

'Goed zo, Berber! Goede bal. Goed gedaan!' Jorrick, haar nieuwe trainer en coach schreeuwde het uit.
De scheidsrechter floot dat de wedstrijd was afgelopen.
Gewonnen, ze hadden gewonnen. Zij had in de laatste minuut het beslissende doelpunt gescoord. De eerste buitenwedstrijd van het nieuwe seizoen. Ze keek naar de kant waar Bloem en Thomas juichend op en neer sprongen en lachte naar hen.
'Berber, ik vind dat je het fantastisch gedaan hebt.' Jorrick klopte haar op haar schouder. 'Ik zie de laatste maanden voortdurend een buitengewoon goede speelstijl. Arjen zei me al dat je het in je had. Ga vooral zo door, dan kun je zeker weer terug naar de selectie.'
Berber lachte.
Het was waar. Ze voelde zelf ook dat ze de afgelopen maanden veel beter was gaan spelen. Toen ze eenmaal de affaire met Djanno achter zich had kunnen laten, had ze zich met alles wat ze in zich had op de trainingen gegooid. Het had geholpen het laatste beetje Djanno te vergeten. Niets had ze meer van hem gehoord, helemaal niets. Op school was voor Djanno in de plaats een man gekomen die in niets op hem leek. Een gewone saaie leraar bij wiens lessen je zowat in slaap viel.
'Zullen we?' Berber sloeg haar armen om de schouders van Bloem en Thomas.
Met z'n drieën naast elkaar fietsten ze naar huis.
'Zullen we vanmiddag naar de film?' vroeg Thomas.
Berber knikte. 'Oké, draait er iets leuks?'

'Mag ik ook mee? vroeg Bloem.
'Natuurlijk. Jij gaat toch altijd mee?' Thomas gaf haar een zacht duwtje tegen haar arm.
Berber keek hem aan. Thomas was een goede vriend van haar geworden en ze trokken veel samen op. Of met Elise en Esmée erbij of met Bloem. Maar nooit samen...

Berber keek kritisch naar haar gezicht in de spiegel. Ja, zo zag ze er goed uit. Een beetje lipgloss, een lijntje langs haar ogen en haar haar naar achteren geborsteld. Dat stond mooi, maar het was niet té. Ze vond Thomas helemaal geen type voor van die opgedirkte meiden.
Bloem kwam haar kamer binnen. 'Ga je hem verkering vragen?' Ze plofte op het bed neer.
Berber pakte de borstel en begon nog een keer te borstelen. Ze had vanmiddag Thomas gebeld en gezegd dat ze liever vanavond wilde. Tegen Bloem had ze gezegd dat ze alleen met Thomas naar de film wilde, vanavond. 'Ben je verliefd op hem?' had haar zusje gevraagd.
'Je ziet er mooi uit.' Bloem kwam naast haar staan. 'Gaan jullie zoenen?'
'Gaat je niks aan!' Berber schudde haar haar naar achteren.
'Vertel je vanavond hoe het was?'
'Absoluut niet. En nu mijn kamer uit.' Ze gaf Bloem een klap met de borstel.
Toen de bel ging, stoof Berber de twee trappen af om open te doen, maar haar moeder was haar net voor. Ze gaf Thomas een hand. 'Kom je even binnen?' Thomas knikte.
In de kamer zaten haar vader en Bloem met Boy op schoot.
'Hoe laat kom je thuis?' Haar vader keek op van de krant

waarin hij zat te lezen. Vragend keek Berber naar Thomas.
'Ik vind twaalf uur een mooie tijd,' zei haar moeder. 'Die film is toch wel om elf uur afgelopen?'
'Maham, dat is veel te vroeg. We gaan na de film ook nog iets drinken, hoor!'
'Thomas, hoe laat moet jij thuis zijn?' vroeg haar moeder.
Berber schaamde zich dood.
'Tussen een en half twee.'
'Goed dan,' gaf haar moeder toe. 'Berber, om een uur ben jij ook thuis.'
'En denk erom, niet alleen naar huis,' voegde haar vader eraan toe. 'Je weet dat je me altijd kunt bellen.'
'Nou, ik denk dat Thomas haar wel brengt,' merkte Bloem op, terwijl ze Boy zachtjes wiegde. Het kleine jongetje keek onafgebroken naar Thomas.
'Volgens mij vindt Boy jou leuk,' zei Bloem tegen hem.
Thomas lachte naar de baby. 'Ik hem ook.'
Berber zag dat haar moeder vertederd van Thomas naar Boy keek. Had Thomas even een goede beurt gemaakt.
'We gaan,' zei ze.

'Waarom wilde je met mij alleen?' vroeg Thomas toen ze om acht uur haar fiets tegen de pui van de bioscoop op slot zette.
Berber zag een paar rode vlekken in zijn hals verschijnen.
'Vind je het heel jammer dat Bloem er niet bij is?' Ze keek hem plagend aan. 'Dan bel ik haar, hoor.'
Thomas lachte. 'Hoeft niet,' zei hij.
Hij sloeg zijn arm om haar schouders en zo liepen ze de bioscoop binnen.